Mejor sexo

Colección: Ideas brillantes
www.52ideasbrillantes.com

Título original: Re-energise your sex life
Autora: Elisabeth Wilson
Traducción: Alejandra Suárez Sánchez de León para Grupo ROS

Edición original en lengua inglesa:
  © The Infinite Ideas Company Limited, 2005
Edición española:
  © 2008 Ediciones Nowtilus, S.L.
  Doña Juana I de Castilla 44, 3° C, 28027 - Madrid

Editor: Santos Rodríguez
Responsable editorial: Teresa Escarpenter

Coordinación editorial: Alejandra Suárez Sánchez de León (Grupo ROS)
Realización de cubiertas: Murray
Realización de interiores: Grupo ROS
Revisión hispanoamericana: Romina Luc

Depósito legal: M-24507-2008
ISBN13: 978-84-9763-525-7
Fecha de edición: Junio 2008

Impreso en España
Imprime: Estugraf impresores S.L.

Mejor sexo

Acaba con la rutina y mejora tu vida sexual
para volver al éxtasis y recuperar la pasión

Elisabeth Wilson

nowtilus

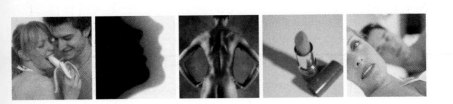

Índice

Notas brillantes

Cada capítulo de este libro está diseñado para proporcionarte una idea que te sirva de inspiración y que sea a la vez fácil de leer y de poner en práctica.

En cada uno de los capítulos encontrarás unas notas que te ayudarán a llegar al fondo de la cuestión:

- *Una buena idea...* Si esta idea te parece todo un revulsivo para tu vida, no hay tiempo que perder. Esta sección aborda una cuestión fundamental relacionada directamente con el tema de cada capítulo y te ayuda a profundizar en ella.

- *Otra idea más...* Inténtalo, aquí y ahora, y date la oportunidad de ver lo bien que te sienta.

- *La frase...* Palabras de sabiduría de los maestros y maestras en la materia y también de algunos que no lo son tanto.

- *¿Cuál es tu duda?* Si te ha ido bien desde el principio, intenta esconder tu sorpresa. Si por el contrario no es así, este es un apartado de preguntas y respuestas que señala problemas comunes y cómo superarlos.

Introducción

Te prometimos no incluir en este libro dibujos malos de posturas sexuales estúpidas, ni instrucciones paso a paso sobre cómo poner en marcha tu propio club de intercambio bisexual, ni fotos de tíos raritos haciendo ejercicios de dominación.

Hemos mantenido todas y cada una de estas promesas. Probablemente ya hayas leído antes todo lo que se incluye en este libro y, de hecho, no pretendemos otra cosa. Y es porque creemos que el éxito de un libro que promete cambiar tu vida sexual no reside en un contenido atrevido ni, por supuesto (y estoy pensando específicamente en esos chicos especialmente atrevidos), en la falta de él. Un libro sobre sexo sólo funcionará si es aplicable. Los lectores deberían desear practicar las sugerencias, no sólo leerlas desde un punto de vista conservador o, más probablemente, desde una creciente consternación.

Éste un libro de soluciones sexuales no de problemas potenciales. Por ello, no encontrarás nada sobre sexo seguro. Si eres joven, libre y soltero/a, desesperado por intimar y por explorar tus límites sexuales entonces este libro no es para ti. Busca un campamento de amor libre cerca de tu ciudad o algo así. Pero nosotros ya hemos estado allí, lo hemos probado y preferimos hacerlo debajo de nuestros increíbles y calientitos edredones nórdicos. Este libro es para parejas que simplemente desean mejorar el sexo con la persona con la que tienen una relación. Una relación que probablemente ya dure mucho tiempo.

Lo que esas personas quieren (y me incluyo entre ellas) son formas rápidas, sencillas y de confianza para volver a avivar el fuego. No queremos que eso signifique accesorios caros, encuentros embarazosos, disfraces de enfermera de nylon ni cosas que interfieran con nuestros hábitos diarios. Y en estas cosas es donde profundiza este libro. Decidí escribirlo porque creo que el formato de 52 ideas es la mejor forma posible de animar a la gente no sólo a leer sino también a experimentar. Debido a mi trabajo, he leído más libros sobre sexo que orgasmos han experimentado otras personas y sé perfectamente que para que un consejo sexual funcione no sólo tienes que leerlo, tienes que ponerlo en práctica. Por ello, todas y cada una de las ideas se han probado con parejas reales (muchas gracias a todos; prometo no revelar ningún nombre). Las ideas más sencillas pueden hacer que descubras nuevas sensaciones o que recuerdes algunas que tenías olvidadas, como he podido comprobar después de llevar a cabo la primera parte de mi investigación, para la que sólo necesité una botella de vodka (lee la IDEA 24). Como todos sabemos, pero tendemos a olvidar, la base del buen sexo en relaciones largas es ese viejo tópico, la comunicación. Y he descubierto que no supone mucho esfuerzo hablar el uno con el otro de nuevo sobre lo que os gusta o lo que os ha dejado de gustar. En última instancia, estas ideas os provocarán unas risas cuando las consideréis equivocadas y os sorprenderán enormemente cuando den en el clavo.

En las relaciones largas el sexo no es el componente más importante pero, desde mi experiencia, si muchos más de nosotros le diéramos un mayor grado de prioridad seríamos mucho más felices. Citando a Erica Young: «Hay cosas que ocurren cuando dos personas están en la oscuridad, que hacen que vaya bien todo lo que ocurre cuando se enciende la luz». Puedes mejorar tu vida sexual enormemente, con un mínimo esfuerzo. En la portada de este libro se dice que contienen 52 ideas, pero en mi recuento personal salen nada más y nada menos que 403. Si tú y tu pareja probáis sólo diez de ellas a lo largo de los próximos doce meses (o en las próximas diez semanas) vuestra vida amorosa mejorará hasta un punto que no la reconoceréis. Y esto es mucho más de lo que os puede ofrecer un dibujo de la «postura del bambú»…

1

Practica la abstinencia

¿Aburrido del sexo? Pues tómate un respiro.

Centrarse en la sensualidad en vez de en la sexualidad puede hacerte recordar por qué el sexo siempre lucha por ocupar el primer puesto.

La herramienta estrella dentro de la caja de trucos de los asesores psicológicos es una técnica que se conoce como «centrarse en las sensaciones». En otras palabras, consiste en no mantener sexo con penetración. Cuando las parejas acuden a un terapeuta sexual, se les pide con mucha frecuencia que se refrenen hasta que hayan trabajado sus «problemas». Las parejas pasan semanas simplemente abrazándose el uno al otro, aprendiendo a tocarse el uno al otro de manera no sexual, utilizando técnicas como el masaje y, después, descubriendo el placer sexual sin penetración. Si te has  quedado helado al principio de la última frase, horrorizado con la palabra «semanas», relájate un poco. No tienes que dejar el sexo durante tanto tiempo para obtener resultados sorprendentes.

Dejar el sexo por completo suena muy radical, pero las parejas suelen descubrir que el hecho de tomarse unas vacaciones de las expectativas desilusionantes y de la presión del hecho en sí —y en vez de eso emplear el tiempo conociéndose el uno al otro de nuevo a través del contacto sin penetración— obra maravillas cuando lo que quieren es recuperar la pasión. El hecho de romper viejas estructuras del modo de relacionarse significa que las parejas vuelven a lo básico. Emplear el tiempo que pasáis juntos simplemente en intentar que tu pareja se sienta bien es fantástico y te hace recordar qué es lo importante en todo este asunto.

Una buena idea

No te centres en el resultado. No intentes de forma consciente excitar a tu pareja. Concéntrate sólo en tocar. La persona que está siendo tocada debe intentar relajarse y concentrarse en las sensaciones. Esto es como una especie de meditación para ambos y, en última instancia, debe ayudaros a relajaros cuando estéis muy cansados.

El experto sexólogo Tracey Cox dice que el sexo es como el chocolate: si tomamos demasiado de algo realmente bueno, acabamos empachados. Piensa en lo bien que te sabe el chocolate después de una temporada sin tomarlo. Pasa lo mismo con el sexo: cuando tenemos demasiado, nos sentimos hastiados y damos todo por supuesto.

Quizás estemos lejos de necesitar una terapia sexual, pero realmente hay muy pocas parejas que no se beneficien de centrarse en las sensaciones. Proporciona una mejor comunicación y despierta la libido.

Entre los dos, decidid la semana en que no vais a practicar sexo con penetración.

Día 1   La primera noche abrazaos el uno al otro en el sofá.

Día 2   Id a la cama una hora antes. Desnudaos. Tumbaos en la cama y acariciaos y tocaos. Hablad sobre vuestras vidas. Volved a conectar.

Día 3   Tomad juntos una ducha o baño con aceites esenciales.

Idea 1. Practica la abstinencia

Otra idea más

Intenta esta técnica de centrarse en las sensaciones en el cuarto de baño, para darle un significado completamente nuevo a la idea del aseo personal. Consulta la idea 34, *Un baño de amor*.

Día 4   Ella le dará a él un largo masaje por todo el cuerpo.

Día 5   Él le dará a ella un largo masaje por todo el cuerpo.

Día 6   Ella le masajea a él y le toca de forma sexual pero evitando que él llegue hasta el orgasmo. Ella puede explorar las reacciones de él cuando le toca de formas diferentes y pedirle que le diga lo que siente.

Día 7   Él hace lo mismo con ella.

Día 8   En este momento la tensión sexual debe ser tal que se deben ver las chispas de electricidad que saltan entre ambos.

La frase

«Era el tipo de hombre que con sólo besarte detrás de la oreja podía hacerte sentir que estabas manteniendo el sexo más salvaje».

JULIA ÁLVAREZ, ESCRITORA AMERICANA

Mejor sexo

¿Cuál es tu duda?

P   No estamos seguros de que seamos capaces de dedicar una semana completa a esta técnica. ¿Qué podemos hacer?

R   *Intentad la versión más rápida de la técnica de centrarse en las sensaciones. Cómo las citas rápidas, pero menos embarazoso. Utilizad uno de los puntos de la privación sensorial para ayudaros a concentraros en el poder del tacto. Es un recordatorio brillante para cuando estamos cansados y nerviosos y nuestros cuerpos pueden darnos un placer físico supremo. Cuantas más sensaciones evitemos, más apreciaremos aquellas que nos permitamos. Venda los ojos a tu pareja y después insiste en que se relaje por completo durante los siguientes quince minutos. Puede utilizar tapones para los oídos también, para sumergirse realmente en su propio mundo de delicias sensoriales. Poned alguna música suave que os guste y encended algunas velas. Pídele a tu pareja que se tumbe sobre unos almohadones cómodos o sobre un edredón de plumas. Él o ella debe estar desnudo y tú debes estar desnudo también o llevar algo ligero. ¡La habitación debe tener una buena temperatura! Utilizando una pluma de buena longitud o un chal de seda suave, acaricia todo el cuerpo de tu pareja, no sólo las habituales zonas erógenas. Tócale suavemente y de forma continua. Por último, sopla suavemente sobre su piel por todas las zonas por las que has pasado el chal o la pluma. Después podéis intercambiar los puestos.*

P   ¿Qué pasa si no me siento cómoda con tantas caricias y tanta ternura?

R   *Ignora tu necesidad de sensualidad —y la de tu pareja— pero bajo tu completa responsabilidad. La necesidad de ser abrazado con amor es fundamental para los seres humanos. Los científicos creen que puede incluso ser una necesidad más importante en el desarrollo de nuestro comportamiento que la necesidad de agua y comida. Ansiamos las caricias sensuales y para muchos de nosotros el sexo es la forma de conseguirlas. Puede que el orgasmo sea simplemente el cebo o la recompensa que la naturaleza nos ofrece para estar segura de que busquemos esa cercanía física, especialmente en el caso de las mujeres, ya que hay que tener en cuenta que el orgasmo no es estrictamente necesario para la reproducción.*

2

Consigue lo que quieres

¿Cómo puedes conseguir que tu amante te haga el amor justo como a ti te gusta?

El simple hecho de que halláis estado juntos desde siempre no significa que acertéis con lo que le gusta al otro. Pero es cierto que un hombre o una mujer que se atreva a decirle a su amante que quiere que le toque de una forma diferente a como lo ha hecho millones de veces puede resultar bastante extraño.

Existen maneras de pedir las cosas sin que resulte embarazoso para ti ni mortificador para tu amante. A continuación encontrarás formas de conseguir que tu amante haga cosas diferentes a pesar de que piense que lo ha estado haciendo perfectamente durante años.

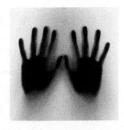

EL CAMINO INCORRECTO

Utilizar frases que comiencen con «¿Por qué no...?», «Tú nunca...», o «Esto no...» pueden ofender a tu pareja y ponerla a la defensiva. Además, lloriquear de esa manera no resulta nada atractivo.

Una buena idea

Encuentra siempre algo positivo que decir y bajo ningún concepto alabes lo que estuvo mal. ¡Fingir al principio que te gustaba lo que en realidad no te gustaba fue lo que te ha llevado a esta situación!

EL CAMINO CORRECTO

Paso 1: Elogios, elogios, elogios, tu nuevo propósito

Desde este momento, te vas a convertir en un amante agradecido. Vas a alabar las actuaciones de tu pareja cada vez que se te presente la oportunidad y utilizando todas las formas que se te pasen por la cabeza. Esto creará una situación beneficiosa para los dos. Sé especialmente atento durante el sexo. Hazlo mediante el lenguaje corporal. Hazlo con energía. Grita en voz alta: «Me encanta todo lo que me haces en la cama», «Eres tan sexy», «Nadie me hizo esto antes de la magnífica forma que tú me lo haces». Tu pareja terminará la sesión de sexo completamente segura de que te lo has pasado maravillosamente bien.

Si no eres un amante agradecido, haz que esto se convierta en tu *modus operandi* desde ahora. Pero cuidado, esta técnica puede resultar un fracaso estrepitoso si dejas de utilizarla en el momento en que consigas lo que quieres, ya que puede parecer una táctica un tanto cínica. (Y es que lo sería realmente). Así que sé inteligente, no hay nada de lo que avergonzarse en crear confianza en tu amante. Lo mejor de esta táctica es que estás creando un ambiente en el que él o ella nunca puede fallar. De esta forma, no sentirá miedo de intentar algo diferente ya que no sentirá la responsabilidad de que tu felicidad depende de ello. Si se equivoca o no desea llegar hasta el final, no tendrá nada que perder porque ya es consciente de todo lo que le valoras. Tu «logro» es que además de comportarte como una persona encantadora, estás engrasando los engranajes para que vuestra vida sexual pueda avanzar hacia nuevas alturas/metas.

Paso 2: Céntrate en lo positivo

Una vez que has creado un clima de confianza, puedes modificar la técnica de tu amante centrándote en lo positivo. Por ejemplo, «Me encanta la forma en que haces esto, especialmente cuando vas muy lentamente/muy rápidamente/agarras la mesilla de noche mientras lo estás haciendo». La otra gran recompensa de esta táctica es que, dentro de lo razonable, no importa que lo que digas sea una completa mentira. Por ejemplo, tu amante puede hacerte una felación con la velocidad de una locomotora pero si le dices lo encantador que te resulta cuando su boca se mueve de forma muy lenta, ella probablemente te crea. Es prácticamente seguro que comenzará a hacerlo lentamente. Tu premio será que conseguirás más de lo que querías.

Otra idea más

Consulta la IDEA 17, *Aprende el arte del Kaizen*, y consigue todo lo que quieres.

Esta táctica puede ir demasiado lejos en ocasiones. Ella sospechará de manera obvia si nunca ha agarrado antes la esquina de la mesilla de noche y tú no paras de decirle cuánto te gusta que lo haga... Sé discreto y tan específico como te sea posible. Todo lo que necesitas es utilizar tus manos para dirigir de forma delicada la acción hacia donde desees.

Paso 3: Sugiere cómo podría cambiar

Ahora puedes sugerir diferentes formas de hacerlo. Esto debe hacerse con gracia y de forma suave, no como si tu completa felicidad sexual dependiera de ello (recuerda que tu amante puede sentirse herido). Puedes decirle que has leído sobre algo que te gustaría probar en un libro y preguntarle si se sentiría obligado u obligada...

La frase

«El secreto para decirle a alguien que es el peor amante que has tenido nunca, es... no decírselo. Céntrate en lo que deseas, no en lo que no quieres... Comienza pensando en ti mismo, no en tu pareja [ni en sus fallos]. Haz una lista de diez cosas que te gustaría hacer con más frecuencia en la cama, diez cosas que te gustaría dejar de hacer y diez cosas nuevas que te gustaría probar. Debes tener claro lo que te gusta en la cama para poder conseguirlo».

TRACEY COX, *SUPERSEX*

¿Cuál es tu duda?

P Lo he intentado pero mi amante es demasiado consciente de sí mismo. ¿Alguna otra propuesta?

R *A algunas parejas les ayuda la fantasía de la persona que es virgen cuando están intentando algo nuevo. Otra versión es la fantasía del extraterrestre. Básicamente consiste en que uno de vosotros finge que es virgen o que es un extraterrestre que no tiene ni idea de qué es el sexo. La otra persona tiene que explicarle qué debe hacer, cómo debe comportarse y qué es lo que debe decir. Esta técnica funciona porque el más tímido, que es el más consciente de sí mismo, no tiene el control sobre la situación, sólo debe seguir las instrucciones que le dicta el otro.*

P Su técnica de sexo oral ha mejorado mucho pero todavía no lo hace exactamente como a mí me gusta. ¿Qué hago ahora?

R *Si tenéis una buena comunicación, lo único que debes hacer es enseñarle. Hazlo durante una sesión muy caliente en la cual los dos estéis locos de pasión y él esté en un momento en el que esté dispuesto a todo para que llegues al final. Pídele: «¿Te importaría intentar esto? He estado pensando que realmente me encantaría que me lo hicieras». Después muéstraselo con tu propia lengua en su bíceps, en la palma de su mano o en cualquier otra superficie plana (los hombres pueden hacerlo en los dedos de las manos o de los pies de las mujeres, por ejemplo). Asegúrate de que puede ver exactamente lo que hace tu lengua y la velocidad que empleas. Refuerza la práctica con algunas instrucciones, pero sólo unas cuantas cada vez. Proponte un 10% de mejora cada una de las veces. Y continúa alabándole, alabándole y alabándole hasta el infinito.*

3

Lujuria, todo está en tu mente

¿No te interesa el sexo tanto como antes? La forma más fácil de salir de la rutina es practicar sexo mental/con el cerebro, literalmente.

La investigación realizada para escribir este libro me ha proporcionado algunas sorpresas y una de ellas ha sido el efecto en mi propia libido.

Considerándome siempre en la media de un supuesto «sexómetro» —en otras palabras, no soy la chica más apropiada a la que sugerir que tenga un encuentro sexual con los vecinos— pensar, leer y hablar sobre sexo durante tres meses ha tenido extraordinarias consecuencias en mi respuesta sexual. No quiero decir que me haya lanzado a hacer un trío, pero  tener el sexo en la cabeza, definitivamente, ha aumentado mi deseo sexual y ha provocado que ahora aconseje a la gente que la forma más sencilla de asegurarte de tener más sexo (y de querer tenerlo) es *pensar* sobre él con más regularidad.

A medida que pasa el tiempo, nos vemos sumidos en las minucias de nuestras vidas: las idas, las venidas, los objetivos, las reuniones... Pero como la escritora especialista en sexo Ann Hooper dice: «Puedes intentar cualquier postura sexual que se te ocurra, incluso colgarte del techo si quieres, pero si no incluyes una mente fértil en el juego, nunca conseguirás excitarte».

Una buena idea

Lee novelas eróticas o de porno suave. Escucha música que te haga sentir sexual, sea la que sea; si es la música rock la que te excita, escúchala muy alta y con frecuencia.

El secreto está en fantasear. Pero, en primer lugar, tienes que replantearte tu idea de qué significa una fantasía sexual.

¿Cuándo tuviste el mejor sexo que recuerdas haber tenido? La mayoría de nosotros contestará que durante los primeros meses de acostarnos con una nueva pareja, seguramente la pareja con la que todavía estamos. ¿Por qué? Por supuesto, por la novedad del nuevo amor y también de la nueva lujuria, claro. La principal razón por la que el sexo al principio de una relación es tan excepcional es porque está lleno de fantasía. Los nuevos amantes dedican cada uno de los minutos que no están en la cama a fantasear sobre su amante. Sus mentes están constantemente reviviendo cómo hicieron sexo la noche anterior y lo que les gustaría hacer la próxima vez que se encuentren. Se mueven en un ambiente de constante fantasía erótica y todo esto prepara el combustible para sus encuentros eróticos. La siguiente vez que ven a sus amantes se encuentran a punto y completamente preparados.

Otra idea más

Cuenta el número de personas que te encuentras al cabo del día que te llamen la atención poderosamente. Busca sentirse excitado por otras personas, pero, obviamente, sin pasar a la acción. Ese viejo dicho sobre guardar la energía del día para avivar el fuego del hogar tiene toda la razón...

Normalmente tendemos a pensar que es la otra persona la que enciende nuestro deseo sexual pero, psicológicamente, tiene mucho más que ver con que nuestra mente está pensando de manera constante en este asunto y en las señales que nuestro cerebro envía a nuestro cuerpo. De esta forma, si recuerdas melancólicamente lo que solías sentir por tu pareja y crees firmemente que no puedes recuperar aquella lujuria inicial, inténtalo pensando más en el sexo. Cualquier pensamiento que tengas cuenta, no importa lo efímero que sea. Piensa sobre el sexo durante el día y cuando surja la oportunidad de practicarlo tu entusiasmo se verá multiplicado. Sólo un roce conseguirá que los fluidos se pongan en movimiento. Por el contrario, si no ha cruzado por tu cabeza ni siquiera un solo pensamiento sexual durante todo el día, tu amante se enfrentará a una ardua y, probablemente, fútil lucha para conseguir que al menos lo intentes.

Otra idea más

Para saber más sobre el poder de la mente, consulta la IDEA 50, *Tiempo para soñar.*

La consejera Sarah Litvinoff dice «Los terapeutas sexuales se encuentran con frecuencia con que las mujeres que se quejan de no haber sentido nunca interés por el sexo o que nunca han llegado al orgasmo nunca tienen pensamientos sexuales. Muchas personas definen pobremente las fantasías sexuales como las escenas mini-pornográficas que desarrollan en sus cabezas, las cuales pueden incluir, según dicen, imágenes de sumisión y lesbianismo, que suponen una excitación mental, pero que no necesariamente te divertirían si las practicaras en la vida real». La realidad es que *cualquier* pensamiento sexual es una fantasía y, por ello, cualquier pensamiento funciona a la hora de activarnos.

Deja vagar tu imaginación, busca activamente la sensualidad y siente el latido del sexo que está oculto debajo de las capas de nuestro sofisticado estilo de vida. Busca la estimulación en tu rutina diaria y te encontrarás rebosante de carga erótica con la que después podrás pasar a la acción. Tomarás la iniciativa y responderás a tu compañero de forma completamente diferente. Estarás arrollador.

Comienza por crearte el hábito de tener sueños sexuales durante el día. Que lo primero que hagas al despertar y lo último al acostarte sea tener uno o varios pensamientos obscenos. Cuando te dirijas cada día al trabajo, recuerda la última vez que hiciste el amor. Mientras haces cola o esperas el metro, revive tus mejores momentos sexuales. Recuerda que cada vez que el sexo cruza por tu mente se convierte en una fantasía y que aquellos que fantasean con mayor frecuencia tienen las mejores vidas sexuales.

Nótese: como en el caso de las curaciones milagrosas, no tienes que creer en esto para que realmente funcione; practica y verás cómo funciona.

La frase

«Eres lo que sueñas, tus sueños de cada día. Las vallas publicitarias, las luces parpadeantes y los penes de plástico nos dicen todo y nada sobre el sexo porque todo está en la cabeza».

Erica Jong

¿Cuál es tu duda?

P Me siento un poco culpable si fantaseo con cualquier mujer que no sea mi esposa. ¿Qué puedo hacer al respecto?

R *Una mujer que conozco se visualiza a sí misma empujando a todos los hombres maduros y atractivos que se encuentra por la calle contra la pared y besándolos apasionadamente. Desde el exterior, lo único que hace ella es mover sus manos y hablar de tonterías. Los hombres no se dan cuenta de nada pero la fricción sexual que generan esas representaciones que ella imagina alimenta su idea de su propio ser sexual. Sus razones para este comportamiento no tienen nada que ver con un deseo de ser infiel. Ella dice: «Es como volver a ser adolescente de nuevo. Cuando alguien remotamente atractivo se presentaba ante tus ojos, no importaba lo «poco apropiado» que fuera, comenzabas a coquetear y a darle vueltas a una posible relación; cosas que, obviamente, no iban a ningún lado por la sencilla razón de que tenías quince años. Fantasear de esta manera me mantiene joven». No hace daño a nadie, es barato, es privado. Pero no hay ninguna ley que diga que no puedes fantasear con tu pareja de la misma forma si quieres. La próxima vez que veas a una camarera atractiva, imagina que en vez de ella es tu mujer la que te sirve el café vestida con un increíble top escotado.*

P No encuentro ningún pensamiento sexual que me interese ni siquiera de forma vaga. ¿Por dónde puedo empezar?

R *De acuerdo, comienza de esta forma. Imagínate a ti mismo tan atractivo sexualmente como te sea posible. En tu cabeza, tienes que ser completamente impactante. Después visualiza a ese yo tuyo tan sexy en el momento de tener relaciones sexuales. Mantén la imagen durante unos minutos y espera a ver qué pasa.*

4

Lo último que necesitas hacer...

...para mantener tu relación fresca como una lechuga.

Lee, digiérelo y considéralo tranquilamente. Después agarra tu agenda, un gran rotulador rojo y comienza a dar prioridad absoluta a tu relación.

Este capítulo contiene las tres reglas de oro de una relación saludable, el *sine qua non* de la felicidad sexual. Ninguna técnica ni toda la creatividad del mundo van a arreglar la vida sexual de una relación en la que la pareja está junta, pero no está *unida*. Sin embargo, las parejas que pasan tiempo juntos y anticipan y planean esos momentos encuentran muy difícil perder el interés en el otro.

REGLA Nº 1: DIARIAMENTE...

¿Cómo se siente tu pareja justo en este momento? ¿Qué ocurre en su trabajo? ¿Cómo son sus relaciones con sus amigos, sus compañeros, sus padres y sus hermanos? Saca quince minutos al día para hablar. Si os encontráis en la rutina de estar demasiado ocupados, cuando os comportáis como barcos en la noche que llevan varios días sin tocar tierra, lo mejor es que os vayáis a la cama un poco antes de lo habitual o que os despertéis un poco antes y toméis un café juntos para que volváis a llegar a buen puerto.

Una buena idea

Busca formas sencillas de alegrar a tu pareja. Cómprale su helado favorito en el camino del trabajo a casa. Prepárale un baño y una cerveza. Estos gestos inocentes funcionan, porque crean un enorme fondo de buena voluntad al que las parejas pueden acudir cuando la vida resulte estresante.

Besaos cada mañana antes de levantaros. Tomaos tiempo para un rápido abrazo. Respirad profundamente. Apretáos fuerte. Y haced lo mismo por la noche. Nunca deis por supuesta vuestra intimidad física. En este Valle de lágrimas al que llamamos vida, os habéis encontrado el uno al otro. Eso es asombroso. Dad la importancia que merece ese encuentro con al menos un abrazo diario; no es mucho, creo yo...

REGLA Nº 2: SEMANALMENTE...

Salid juntos una vez a la semana siempre que sea humanamente posible. Una vez cada quince días es el mínimo que se puede pedir. De acuerdo con los expertos, es lo más importante que podéis hacer. Las parejas que continúan saliendo, continúan acostándose. Pasar demasiado tiempo dando vueltas por la misma casa afecta a la vida sexual de las parejas y no se puede decir que sea para bien. Así que salid, preferiblemente después de haber hecho un pequeño esfuerzo por arreglaros para gustar visualmente a vuestra pareja. Recuérdale por qué se sintió atraído por ti cuando te conoció. (No, no dije que este capítulo tuviera un efecto inmediato, sólo dije que funcionaba).

Otra idea más

El sistema de citas de la IDEA 8, *Dormir es el nuevo sexo... ¡En serio!*, es una buena opción si el sexo se ha convertido en un recurso de última hora.

REGLA Nº 3: MENSUALMENTE...

Preparad una mini-aventura. Los recuerdos compartidos afianzan vuestra relación. Haced que vuestra aventura sea tan loca o tan tranquila como os apetezca, pero aseguraos al menos de que sea algo que no hayáis hecho desde el principio de vuestra relación. Realmente no importa en qué consista, sólo que no sea una cita «normal».

¿Cuál es la clave de esta técnica? Que verás a tu pareja en un nuevo ambiente y haciendo otras cosas y eso mantendrá vivo tu interés por ella. Y de ella por ti. Así de sencillo.

La frase

«El buen sexo comienza cuando aún tienes puesta la ropa».

MASTER Y JONSON, PIONEROS EN INVESTIGACIÓN SEXUAL

Si en este momento estás sacudiendo la cabeza y murmurando «¡qué banal!», quita ya ese gesto engreído de tu cara. Las investigaciones demuestran claramente que una de las diferencias definitivas entre las parejas fuertes y las que van «a la deriva» es la cantidad de tiempo y esfuerzo que emplean en sus objetivos y actividades compartidas. Todos hemos escuchado alguna vez el consejo: «Haz que el tiempo que pasas con tu pareja sea lo más interesante posible». Pero, ¿cuántas parejas conoces que realmente lo pongan en práctica? Estoy segura de que los que lo hacen son los que parecen más felices.

¿Cuál es tu duda?

P ¿Cómo esperas que nos las arreglemos para salir juntos una vez a la semana?

R *No tenéis que salir durante mucho tiempo, una hora o dos serán suficientes. Con este espacio de tiempo tan corto podréis convencer incluso a los padres o a los vecinos.*

¿Que estáis sin dinero? *Intentad pasar una velada con un billete de veinte euros o menos. Si esto falla, id a dar un paseo o tomad una cerveza en vuestro bar habitual. O, de acuerdo, compartid la cerveza si estáis realmente mal...*

¿Nadie que cuide a los niños? *Proponte buscar a otras parejas con niños que vivan cerca —lo ideal sería en la misma calle— y averigua si les gusta salir (las familias monoparentales o los muy caseros no son adecuados para esta idea). El objetivo es que uno de los miembros de la pareja vaya a vuestra casa y se quede con los niños una vez a la semana. La semana siguiente vosotros les devolveréis el favor. Esto significará que por una noche haciendo de niñera conseguirás salir otras dos y estar una tercera solo en casa. No está mal.*

¿Que no tenéis tema de conversación? *Entonces, mejor que arregléis este tema antes de intentar ninguna otra cosa.*

P No se nos ocurre nada que deseemos hacer que constituya una mini-aventura. ¿Tienes alguna sugerencia?

R *Aquí tenéis una lista con la que podéis pasar todo un año ocupados:*

- *Un paseo entre dos bares calentitos en invierno.*
- *Alquilar dos bicicletas.*
- *Un picnic-cena al aire libre, con champagne y fresas.*
- *Montar a caballo.*
- *Tirarse en paracaídas.*
- *Pasar un fin de semana en una ciudad que no conozcáis.*
- *Remar en el río o dar un paseo en barca en el parque de tu ciudad.*
- *Ir a una matinée al cine.*
- *Pasar un día en un spa (balneario urbano).*
- *Visitar una galería de arte.*
- *Ir al teatro.*
- *Ir a un seminario de autoayuda.*

Sugerid una aventura cada uno y muéstrate de acuerdo con la elección de tu pareja aunque no te emocione demasiado. Incluso si es un desastre, tendréis recuerdos que compartir y con los que reiréis cuando los rememoréis.

5

Únete al 30%

Ése es el porcentaje de mujeres que llegan al orgasmo sólo con la penetración. Umm...

Creo que decir 30% es decir demasiado. Yo calculo que debe estar más cerca del 10%. Otras encuestas nos informan de que aproximadamente un 90% de las mujeres sólo consiguen llegar al orgasmo a través del sexo oral o de la masturbación, y eso suena mucho más aproximado a la verdad.

Mi punto de partida es que la mayoría de las mujeres no consiguen llegar al orgasmo cuando practican el sexo con penetración. Y para aquellas de vosotras que lo conseguís, existe un gran debate sobre qué es exactamente lo que empuja la barca... Podría ser una estimulación indirecta del clítoris o el frotamiento rítmico de la pared anterior de la vagina (el «hogar» del tan mencionado punto G). En cualquier caso, es suficiente por ahora.

Este capítulo está dedicado principalmente a la mayoría de las mujeres que no han llegado al orgasmo con el clásico y directo intercambio sexual. Hay varias formas de lograr que ocurra. Existen muchas ideas, técnicas de aproximación y el punto G, pero aquí encontrarás todos los secretos sobre la única posición que está diseñada para proporcionar una constante estimulación clitorial durante las relaciones sexuales genitales: la técnica de alineación coital (CAT). Una técnica muy útil que deberíamos dominar ya que, vamos a afrontarlo, la estimulación constante del clítoris, sin duda, va a aumentar considerablemente las oportunidades de tener un orgasmo durante el sexo. Hasta tal punto que el primer hombre que llamó nuestra atención sobre la CAT al comienzo de los 90, Edward Eichel, se dejó llevar un poco... y la anunció como la única forma de garantizar que una pareja tuviera un orgasmo simultáneo durante las relaciones sexuales.

Una buena idea

Mujeres: una vez que le hayáis conseguido dominar el truco al movimiento de balanceo, apretad vuestra pelvis y vuestros muslos con tanta frecuencia como podáis. Esto aumentará de nuevo la fricción y la presión en el pene. Bueno para ti y bueno para él. ¡Funciona!

En fin, tanto por mi experiencia como de forma anecdótica, tengo que mostrar mi desacuerdo. La CAT no funciona siempre. Sin embargo, de acuerdo con los estudios de Eichel, el 77% de las mujeres consiguieron el orgasmo «frecuentemente o siempre» con este método y el 36% de las parejas tuvo orgasmos simultáneos. Sea como sea, una mayor estimulación del clítoris además de un uso juicioso de otras técnicas tiene como consecuencia que más mujeres consigan un número mayor de orgasmos durante la penetración. Y eso es una buena cosa.

Irónicamente y aunque parezca una postura ideal para que una estrella del porno llegue al final —al orgasmo por penetración del pene—, la CAT es como el abrigo grande y confortable de las posturas. De forma perversa, me gusta decir que es imposible de practicar cuando estás muy excitado.

¿Qué puedes esperar? Sexo lento (muy lento), tierno y dulce; una delicada danza entre amantes.

¿Qué es lo que no puedes esperar? Nada de empujones profundos, rápidos ni violentos, ni gritos del tipo «Dame más, machote». De hecho, te sentirías un poco estúpido si gritaras durante la CAT. Es una postura más de «Te quiero de verdad» —«No, te quiero de verdad» — y de «No, yo te quiero mucho más». Así que hazte a la idea.

Si tú y tu pareja estáis en la primera etapa de intimidad (preliminar) en la cual sólo podéis practicar sexo rápido, excitante y fuerte (oh, deja de presumir), entonces la CAT no es para vosotros. Pero si sois del tipo de pareja que se preocupa por su relación lo suficiente como para estar leyendo este libro —en otras palabras, compartís mucha intimidad y mucha atracción, en ocasiones incluso demasiada—, entonces os encantará tener la oportunidad de disfrutar de mucho contacto visual y de tomaros todo el tiempo que deseéis. Lo necesitaréis. Chicas: ni siquiera penséis en poner esto en práctica si todavía estáis enfadadas con él por haberse escaqueado de poner la lavadora.

Otra idea más

Consulta la IDEA 30, *Adopta la postura*, para saber más sobre las posiciones que mejoran la estimulación para ambos miembros de la pareja.

VAMOS AL LÍO

Después de adoptar la postura del misionero, el hombre debe desplazar hacia delante a la mujer unos pocos centímetros. La pelvis de él debe estar alineada con la vulva de ella. Esto significa que sólo la punta de su pene estará «dentro». También significa (y aquí está la clave) que la mayor parte del pene estará haciendo presión contra su vulva y también contra su clítoris. Olvida el empuje y piensa en la fricción.

Las piernas de él deben estar juntas y derechas; las piernas de ella deben estar apretadas contra los muslos de él, con sus tobillos descansando sobre sus pantorrillas de forma que estén lo más rectas que sea posible. De esta forma, estará abriendo su vagina y sus labios para así aumentar la fricción. Como un verdadero caballero, debería soportar su peso con sus codos, pero en esta ocasión sería mejor que colocara sus brazos debajo de las axilas de ella para descansar sobre su cuerpo con cuidado.

Ahora un poco de dificultad (¿piensas que estoy bromeando?). Lo que quieres lograr es el balanceo. No el empuje. Ella debería separar su pelvis de él, empujándola contra la cama, de forma que su pene salga casi entero; entonces él debería empujarla hacia abajo para que su cuerpo se moviera lentamente y pudiera penetrarla por completo. Ella se inclinará hacia delante para ir al encuentro de él, bajando su pelvis de nuevo para que él vuelva a salir para, seguidamente, empujar su pelvis y entrar por completo de nuevo. Su clítoris debe sentir una presión constante durante todo el tiempo. Repetid, repetid, repetid. No penséis en llegar el orgasmo, sólo centraos en conseguir una danza rítmica. No empujéis con fuerza. No os precipitéis en lograr el orgasmo. Lentitud y constancia, ésa es la clave. No resulta sencillo, pero cuando consigáis el ritmo todo se colocará en su sitio y parecerá natural. Ayudará si es ella la que marca el ritmo.

La frase

«Culpo a mi madre por mi pobre vida sexual. Todo lo que ella me dijo fue: 'El hombre se coloca arriba y la mujer debajo'. Durante tres años, mi marido y yo dormimos en literas».

JOAN RIVERS

¿Cuál es tu duda?

P   Probamos la CAT. Ella llegó al orgasmo primero. ¿Cómo podemos garantizar un orgasmo simultáneo durante el coito?

R   *No podéis. Nadie puede. Continuad practicando.*

P   Está bien pero resulta interminable. ¿Puedes sugerirnos alguna forma de mejorarlo?

R   *¿No tenéis tiempo para una CAT completa? Podéis probar lo que yo llamo la «media CAT». Después de tomar la postura del misionero, ella debe cerrar sus piernas de forma que junte los pies cuando él todavía esté dentro. Él debe colocar sus piernas a ambos lados de ella. Esta forma no proporciona la misma estimulación de clítoris que la CAT, pero sí aumenta la presión sobre él. El inconveniente es que él llegará al orgasmo si empuja con mucha fuerza. Otra alternativa es que la mujer se coloque arriba. Cuando él ya está dentro, ella cierra sus piernas a medida que él las abre. Ahora debéis tener cuidado. Después ella colocará su cuerpo de forma que maximice la estimulación del clítoris y continuará hasta que se acomode por completo.*

6

Hazlo rápido

Hacer un buen «rapidito» puede proporcionarte el tipo de emociones que no has experimentado desde la adolescencia.

A muchas parejas les encanta el rapidito porque encaja estupendamente en sus horarios. Pero no será un rapidito de verdad si sucede en la cama. Eso sólo es un coito «robado». Con la misma cantidad de tiempo y de esfuerzo, podéis llevar vuestra vida sexual a otro nivel.

La esencia del rapidito no es que sea rápido, sino que sea furtivo. La razón por la que el rapidito tiene que suceder con velocidad no es porque se suponga que tendríais que estar haciendo otra cosa, como cocinar la cena del domingo para vuestros parientes, sino porque en cualquier momento tu suegra puede asomar la cabeza por la cocina para ofrecer su ayuda con la salsa. Hasta que no consigáis un rapidito que implique que podáis ser pillados «in fraganti», no habréis practicado un rapidito de verdad.

¿Dudas sobre las cualidades afrodisíacas de que os pillen? Piensa en todas las parejas que conoces que han mantenido de manera crónica «relaciones» disfuncionales pero ilícitas durante años convencidas de que estaban viviendo una gran pasión. La verdad es que estas relaciones no hubieran durado ni cinco minutos si su vida sexual no hubiera sido casi por completo rápida y furtiva. Los rapiditos hacen que el sexo sea adictivo.

Una buena idea

Mujeres: iniciar un rapidito es una forma de estar cerca de tu pareja en momentos en los que él está distante y tú estás ocupada. No hay nada como iniciar un rapidito para hacer que él se sienta deseado. Es el equivalente a que él te compre una docena de rosas.

También es cierto que a algunas personas no les gustan los rapiditos. De ninguna manera, además. Quizás los acepten al principio porque hasta estarían de acuerdo en tener sexo suspendidos del reloj de la plaza mayor si su pareja piensa que es una buena idea. Pero realmente no va con ellos y no se sienten cómodos si piensan que pueden pi-llarlos. No pueden soportar pensar en lo avergonzados que se sentirían (normalmente los hombres). Y no les gusta sentirse sucios (normalmente las mujeres). Y probablemente nunca alcancen el orgasmo de esta forma (casi seguro en el caso de las mujeres). Así que, si tu amante pertenece a esta categoría, tienes que aceptar su negativa amablemente y continuar intentándolo pero siempre manteniéndote preparado para el rechazo. Como alternativa, puedes convencer a tu pareja de que el sexo rápido y excitante contra una pared es lo mejor que se ha inventado.

IMAGINA...

Estás esperando que lleguen unos invitados de un momento a otro. Estás comprobando que la barbacoa está bien caliente y que tienes suficiente cerveza, cuando de repente ves pasar a tu pareja que se ha puesto despampanante para la ocasión. Vas hacia ella, la empujas contra la pared, la cubres de besos, la recorres con tus manos por debajo de su ropa. Tu amante está sorprendida, pero comienza a devolverte los besos apasionadamente. Ambos os habéis puesto de 0 a 70 en segundos. Miráis el reloj. Vuestros invitados tienen que llegar en cinco minutos. No tenéis tiempo de desvestiros. En cualquier momento puede sonar el timbre de la puerta. Hurgas a tientas y echas la ropa interior a un lado, bajas cremalleras y desabrochas botones, dejas la piel al descubierto, subes la ropa y la bajas para lograr la penetración. Sólo tenéis tiempo para un sexo rápido y frenético. Cuando por fin llegan vuestros invitados, sólo una ligera falta de respiración puede descubrir vuestro secreto.

Otra idea más

¿Todavía no estás convencido? Pues lee un poco más sobre el poder afrodisiaco de la sorpresa en la IDEA 14, *¡Sorpresa!*

ALGUNA PROPUESTA...

Ninguna. Sólo que si eres una mujer con predilección por los rapiditos, ayudará si elijes unas braguitas que sean accesibles. Hay algo delicioso en echar hacia un lado la tela y le añade al acto cierta carga erótica. Los tangas están bien, pero el hombre puede acabar con el placer de la fricción. ¿Braguitas francesas? Oh, sí.

¿LA POSTURA ADECUADA?

Hacerlo de pie es el tradicional «tiembla rodillas», pero no tiene por qué ser aterrador aunque la mujer pese más de cincuenta kilos. El que se lleva la peor parte es el hombre. Sin embargo, tampoco hay que irse a lo más complicado. En vez de que él soporte todo el peso del cuerpo de ella, la mujer puede usar una mesa o una silla para apoyar una pierna. O incluso mejor, él la penetra desde detrás mientras ella se inclina suavemente de forma que él tenga una buena vista de su pene a medida que entra. Agarrarla mientras está subiendo las escaleras y colocarla sobre los escalones os dará a los dos puntos de apoyo, aunque debéis tener cuidado para no quemaros con la alfombra.

La frase

«Me encantan las sutilezas de los hombres. 'Por favor, sólo la meteré un minuto'. ¿Qué se creen que soy? Un microondas».

BEVERLY MICKINS, CÓMICA AMERICANA

¿Cuál es tu duda?

P No me gusta mucho la idea de que me descubran. No me excita en absoluto, me hace ponerme enfermo. ¿Alguna sugerencia?

R *Intenta el «medio-rapidito». Su poder de seducción no tiene nada que ver con que te descubran in fraganti pero sí con hacer sentir a tu pareja que no hay nada en la vida que prefieras a practicar el sexo con él. ¡Sólo tienes que esperar otro minuto! Y resulta excitante para cualquiera. El escenario perfecto es cuando os estáis preparando para salir, preferentemente a un evento social que es más importante para ti que para tu pareja. Agóbialo con que debe ser puntual. Pon énfasis en la importancia de llegar con mucho tiempo de sobra. Está preparado justo un poco antes que tu pareja de manera que la hagas sentir un poco incómoda por tu extrema puntualidad. A medida que le agobias gritándole desde la puerta, para como si hubieras recordado algo y entonces, míralo directamente a los ojos, agárralo y susurra: «Bueno, espero que puedan esperar otros diez minutos». Tu pareja debería estar encantada. Si hay niñeras de por medio entonces debéis ser más aventureros. ¿La hierba del jardín? ¿El coche? ¿La esquina del restaurante donde debéis encontraros con vuestros amigos? Vosotros decidís. Sólo aseguraos de que nadie os sorprenda.*

P He intentado un rapidito dos veces y las dos han sido un desastre. Mi pareja no tiene el mínimo interés. ¿Qué puedo hacer ahora?

R *Aparca por completo el elemento sorpresa y concéntrate en persuadir a tu amante de tener sexo de manera espontánea en algún lugar en el que normalmente no lo hacéis. Si tampoco accede a esto, puede que no le guste nada de este tipo de cosas. Pero os aconsejo que lo habléis. ¿Por qué no tiene interés tu pareja? ¿Puede darte buenas razones, que tú puedas entender? Si encuentras difícil hablar sobre el tema, entonces está claro que debéis trabajar para mejorar vuestra comunicación.*

7

Dilo en alto, dilo con orgullo o el arte de decir obscenidades

Lo sé. Sólo consigues decir obscenidades cuando estás borracho. Muy borracho. Tan borracho que a la mañana siguiente no puedas recordar todo lo que dijiste. Por eso precisamente necesitas esta idea.

La perfecta combinación de obscenidades susurradas al oído de tu amante en el momento preciso lo catapultará al más explosivo de los orgasmos. Pero si lo haces mal, a donde lo precipitará será a la puerta de salida... para largarse.

Hazlo bien. Decir unas pocas palabras obscenas y lujuriosas es la forma más simple de lograr que tu vida sexual se entone, y sin ningún coste adicional. Si tu estilo obsceno ha permanecido en silencio en los últimos tiempos, no desates tu lengua de repente sin haber hecho antes algún tipo de aviso a tu pareja, porque ésta puede, en el mejor de los casos, quedarse perpleja, y en el peor, morirse del asco. Como la escritora Brigid McConville señala, existe un gran tabú respecto a hablar sobre sexo en nuestra cultura. Las parejas que comienzan de forma obscena, no suelen mantener esta actitud mucho tiempo. McConville dice: «El Big Bang de la charla sexual puede comenzar casi inmediatamente al iniciar una relación e irse intensificando a medida que pasan los años. Cuando llevan practicándolo diez, veinte o más años, es un hábito profundo muy difícil de romper». Tranquilidad, tómatelo con calma.

Una buena idea

Di obscenidades con convicción. Confía en lo que dices. Las obscenidades surgen con facilidad cuando te encuentras en los primeros momentos de la atracción por el otro, simplemente porque es más sencillo decírselas a desconocidos. Pero cuando habéis asistido juntos a innumerables reuniones del colegio y luchado juntos desde hace tanto tiempo, resulta muy complicado. La otra parte es que deberás intentarlo con mayor fuerza aún para apoyar los esfuerzos de tu amante. No los socaves con risitas inoportunas.

CUATRO FORMAS DE AÑADIR VALOR A LAS PALABRAS

1. Dile cómo te sientes

La forma más básica de hablar de forma obscena es describir lo que está sucediendo en este momento y cómo te está haciendo sentir. Por ejemplo: «Me encanta cuando me besas la clavícula de ese modo». O: «Es tremendamente excitante observar tus pechos desde este ángulo». Hacer un comentario rápido sobre lo que estás sintiendo y valorando  también servirá para que disfrutes más «en ese justo momento», haciendo menos posible que comiences a preguntarte quién conseguirá ese ascenso en el trabajo o si tienes suficiente leche para el desayuno. Así que atrévete, comenta, elogia.

2. Crea la anticipación, hazle que lo pida

Dile a tu amante lo que estás haciendo y lo que vas a hacer justo después. Pregúntale si le gusta. Pregúntale si no le gusta. Dile que pida con suavidad qué es lo que quiere. Después, dile que lo pida sin tanta suavidad. ¿Has captado la idea? Antes de que te des cuenta, tu pareja estará diciendo obscenidades también. (Sin embargo, usa esta táctica con discreción. Las preguntas infinitas pueden ser de lo más sublime a lo más descarado y pueden molestar, arriesgándote a sufrir una reprimenda en pleno desarrollo de la pasión.

3. Practicar un juego de rol hace que sea más fácil (mucho más fácil) decir obscenidades

Piensa en lo sencillo que sería si imaginaras que eres otra persona...

Otra idea más

Para conseguir orgasmos explosivos, combina lo que estás leyendo aquí con la IDEA 28, *Atajos para un mejor orgasmo.*

4. Lee historias de cama para el otro

Muchas veces no es la inhibición la que se cruza en nuestro camino, sino la falta de inspiración. Después de otro duro día en la realidad de la vida del siglo XXI, inventar un escenario lujurioso es pedir demasiado. Por eso es una buena idea tener una revista porno cerca de nuestra cama. Las mujeres se excitan con frecuencia con historias adaptadas para los hombres y el porno suave dará apoyo a muchas parejas ofreciéndoles cierta inspiración al leerlo en voz alta.

Pero si esto es demasiado explícito para ti, podéis encontrar revistas eróticas (como por ejemplo el comic *Kiss Comix*) en cualquier quiosco cercano a vuestra casa. O podéis leer alguna novela erótica por capítulos, como las de la editorial Voyeur (http://voyeur.laeditorial.com), disponibles a través de Internet. También podéis leer juntos *Dímelo al oído: las mujeres cuentan sus fantasías sexuales,* de Sonsoles Fuentes y Laura Carrión, seguro que os encanta.

LA ÚLTIMA PALABRA

Nadie puede darte un guión para decir obscenidades. Trascrito, siempre suena ridículo. Necesitáis desarrollar vuestro propio estilo juntos. Una vez que comencéis a decir palabras obscenas en voz alta —aunque sean las palabras de otro—, pronto os encontraréis a gusto.

La frase

«Si lo llama 'decker', no lo nombres como 'ese pene caliente y vibrante', si lo llama 'juanito', no lo nombres como 'esa hacha enorme y perforadora'. De hecho, nunca lo llames así. Si tienes dudas, usa el nombre anatómico básico. Ya desarrollarás tu creatividad más tarde».

EM Y LO, COMENTARISTAS SOBRE SEXO EN WWW.NERVE.COM

¿Cuál es tu duda?

P   No soy capaz de reunir el valor suficiente para decir obscenidades. Me gustaría mucho hacerlo, pero dudo que mi novio me siguiera porque la verdad es que prácticamente no habla. ¿Cómo puedo empezar sin sentirme ridícula?

R   *Que un amante sea silencioso es muy común. Si tu pareja es de la escuela de los amantes silenciosos entonces quizás nunca consigas que te hable lujuriosamente al oído. Pero puedes intentarlo. En primer lugar, concéntrate en todos los sonidos que puedes emitir. Gime, suspira y susurra palabras cariñosas mientras estás con él y pídele que haga lo mismo para ti. Pídele un poco de feedback no verbal para animar tu representación. Después de los gemidos, trabajad juntos en obtener unas pocas palabras. «¡Sí!» y «Por favor» son un comienzo y si has estado mucho tiempo con un amante silencioso, ¡hasta te pueden parecer un monólogo de Shakespeare!*

P   ¿Qué pasa si tu pareja diga obscenidades y te corta el rollo? Mi novio dice cosas que me ponen enferma, especialmente cuando comienza a hablar como si fuéramos niños y se refiere a mis pechos como «tetitas».

R   *Pues parece que o bien se siente incómodo diciéndote obscenidades o por el contrario piensa que se le da realmente bien. Si se siente incómodo, tienes que hablar con él directamente y descubrir qué le molesta o si es simplemente su forma de mostrar interés. Desgraciadamente, también puede ser la segunda opción: piensa que es un genio. Siempre hay que ser cauteloso con aquellos que piensan que decir obscenidades se les da realmente bien. Será inevitable que resulte embarazoso, incluso cuando estás enamorada de él. Necesitas que se refrene, pero tienes que lograrlo con cuidado. Pero está claro que no puedes más con ese asunto de las «tetitas». Todos tenemos nuestro propio umbral de aguante y él está sobrepasando el tuyo. La próxima vez, míralo directamente a los ojos, baja tu voz ligeramente y murmúrale con tono seductor: «Cariño, me encantaría escuchar cómo los llamas 'pechos'». Esto debería funcionar.*

8

Dormir es el nuevo sexo...
¡En serio!

Conozco a una mujer que intentó convencer a su amante de que las personas realmente modernas estaban dejando el sexo en favor del sueño. ¡Pero no consiguió convencerlo! ¡Ni a mí tampoco!

Te gustaría practicar más el sexo; realmente te encantaría. El problema es que estás terriblemente cansado. La competición por quién está más cansado es un fenómeno relativamente nuevo entre las parejas y el resultado evidente es la carencia de sexo.

Las parejas desgastadas por el enorme peso de las metas que se imponen a sí mismas compiten entre ellos para ver cuál de los dos está más cansado. Has trabajado para ello y lo conseguirás sea como sea, lo que se traduce en una vida tan sumamente ocupada en la que, sencillamente, no tienes energía para el sexo.

Por supuesto, que vivas un tiempo con esta carencia o incluso que tu vida amorosa sea completamente inexistente no significa de ninguna forma que sea el fin de la relación. Todas las relaciones pasan por momentos bajos. Pero lo más preocupante en el caso de la excusa del cansancio para no mantener relaciones sexuales es que puede ser difícil volver atrás. Si continúas utilizando el cansancio como una excusa, antes de que te des cuenta una inercia total se habrá instalado entre vosotros. Lo que necesitáis es un ataque simultáneo por dos flancos.

Una buena idea

Si el sexo normalmente tiene lugar antes de dormir y de forma general es precipitado e insatisfactorio porque ambos estáis agotados, dedicad una semana al sexo durante la cual os vayáis antes a la cama y disfrutéis realmente el uno del otro. Los terapeutas están de acuerdo en que este «sistema de citas» es una de las formas más sencillas de volver a tener una buena vida sexual.

PRIMER FLANCO: SUPÉRATE A TI MISMO

Esto es un hecho: practicar sexo estando cansado no va en contra de la Convención de Ginebra. Hacer el amor cuando estás agotado puede comenzar con indiferencia y terminar de forma impresionante. Pero, incluso si esto no sucede, creo firmemente que en una relación duradera es mejor practicar sexo indiferente que no practicarlo en absoluto. Al menos cuentas con un aspecto de la relación en el que tenéis que mejorar.

Si perteneces a este tipo de aficionados que piensan que a menos que el sexo sea un jardín multiorgásmico de placer es mejor no practicarlo, tendrás que negociar con tu pareja. Estableced citas en las que podáis hacerlo de esa manera y procurad que ese día el sexo sea vuestra única prioridad. Consideradlo como un acontecimiento memorable.

Otra idea más

Lee la IDEA 44, *No todo está en tu cabeza*, porque puede que tu cansancio esté motivado por causas físicas.

SEGUNDO FLANCO: REORGANIZA TU EXCESO DE TRABAJO

Esto es puramente anecdótico, sacado de mi experiencia de haber conocido a muchas parejas de treinta y tantos con niños pequeños que no practicaban el sexo. En la raíz de este hecho se asienta un poco de resentimiento de una miembro de la pareja hacia el otro. Normalmente, la mujer se siente resentida con el hombre. Ella trabaja fuera de casa, aunque sea a tiempo parcial, y además se hace cargo de la mayor parte del cuidado de los niños. Las mujeres que dejan el trabajo para dedicarse a cuidar a sus hijos tienden a albergar menos resentimiento, pero, por otra parte, sienten que sus hombres no valoran todo el trabajo casero que realizan. Estos datos los extraigo de mi experiencia pero al menos dos encuestas recientes los respaldan.

La frase

«Él dijo: 'No puedo recordar la última vez que hicimos el amor'. Y yo dije: 'Bueno, yo sí puedo y es justo por eso por lo que no vamos a hacerlo'».

ROSEANNE BARR

¿QUIÉN ES CAPAZ DE DAR EL MÁXIMO DESPUÉS DE UN DÍA DE DURO TRABAJO?

Este test puede facilitar a las parejas una rápida referencia visual sobre quién hace más por la casa. Marca el sexo del miembro de la pareja que normalmente realiza una determinada tarea. Este test puede abrir los ojos a las parejas que piensan que gozan de una relación bastante equilibrada. Si no lo es tanto, deberéis dar los pasos necesarios para delegar o igualar vuestra carga de trabajo; si no lo hacéis, es poco probable que vuestra vida sexual vuelva a la normalidad en poco tiempo.

Preparar a los niños por la mañana	M □	F □
Hacer el desayuno	M □	F □
Preparar los almuerzos para llevar	M □	F □

Llevar a los niños al colegio	M ☐	F ☐
Supervisar los deberes escolares	M ☐	F ☐
Reuniones con los profesores	M ☐	F ☐
Vacunas, visitas al pediatra	M ☐	F ☐
Trato con canguros	M ☐	F ☐
Baño de los niños y preparación para acostarlos	M ☐	F ☐
Cuentos antes de dormir	M ☐	F ☐
Citas para jugar con otras familias	M ☐	F ☐
Ir al supermercado	M ☐	F ☐
Preparar la comida	M ☐	F ☐
Ordenar la casa al final del día	M ☐	F ☐
Pagar las facturas	M ☐	F ☐
Mantenimiento de la casa, organizar reparaciones	M ☐	F ☐
Limpiar	M ☐	F ☐
Sacar la basura	M ☐	F ☐
Comprar la ropa de los niños	M ☐	F ☐
Lavar y secar la ropa	M ☐	F ☐
Fregar los platos	M ☐	F ☐
Jardinería	M ☐	F ☐
Mantenimiento y limpieza del coche	M ☐	F ☐
Organizar la vida social	M ☐	F ☐

Debes estar leyendo esto y pensando: «Yo soy el sostén económico de la familia, trabajo mucho fuera y no puedo además ocuparme de los niños». Pero tendrás que comprometerte un poco si quieres reactivar tu relación. Necesitáis hablar abiertamente sobre cómo dividir vuestra carga de trabajo, dejando vuestro propio espacio para que podáis vivir la vida como individuos y para que podáis encontrar tiempo para vivir como pareja. Si sigues pensando: «¿Quién necesita un estúpido test para saber esto?», detente un momento y analiza tu complejo de mártir. Sí, tienes un complejo. Necesitas sobreponerte a toda costa o el «Sólo YO estoy tan cansado» se convertirá en el sonido de las campanas que anuncian la muerte de vuestra vida sexual.

Idea 8. Dormir es el nuevo sexo... ¡En serio!

Que los padres superprotectores tomen nota: además de vosotros, hay mucha gente que puede cuidar estupendamente de vuestros hijos, pero la relación entre vosotros sólo la podéis cuidar vosotros mismos.

Atentos los adictos al trabajo: levantaos de vuestra silla mañana y alguien la estará ocupando el próximo lunes. Nadie más puede ocupar tu puesto en vuestra relación.

¿Cuál es tu duda?

P   Tu sugerencia de preparar una cita para tener sexo sólo me parece una cosa más que añadir a mi lista de tareas. ¿Este acercamiento no es un poco... funcional?

R   *Sí, sé por qué piensas así. Y no es que yo sea poco comprensiva, pero mi punto de vista es que no puedes confiar en la espontaneidad y la lujuria para dar un impulso a tu vida sexual. Mi consejo para ti es el mismo que para las mujeres que están embarazadas y que no tienen ganas de sexo. De hecho, es el único consejo que le doy a las mujeres embarazadas (¡y sólo a las que lo piden!): deja de confiar en tus hormonas y comienza a confiar en tu chico. Relajarte y darle a tu chico la oportunidad de levantarte el ánimo suele funcionar de maravilla. Hazte la promesa de que le dejarás que haga lo que desee para sacarte del letargo y te aseguro que te sorprenderás de lo bien que funciona y de cómo tu libido se despierta. Si después de diez minutos de preliminares no ha conseguido persuadirte de que el sexo es más valioso que el sueño, sólo tienes que apartarlo de forma cariñosa para que sepa que esa noche tendrá que volar solo... Pero después de nueve o diez intentos, te aseguro que querrás tener sexo.*

P   Tenemos niños pequeños y los dos trabajamos a tiempo completo. Casi no nos vemos el uno al otro y mucho menos hacemos el amor. ¿Algún consejo estupendo para esta situación?

R   *El mejor consejo que he oído nunca respecto a mantener vivo el fuego del hogar me lo dio una sofisticada mujer de cuarenta años. Tenía una familia en pleno crecimiento y un marido increíblemente guapo que le seguía siendo fiel después de veinticinco años de matrimonio a pesar (y yo he sido testigo) de que un ejército de mujeres jóvenes han realizado intentos desesperados por seducirle. Cuando le pregunté cómo mantenían el interés el uno en el otro después de tanto tiempo, ella me contestó: «Bueno, cariño, siempre mantenemos la regla de irnos a la cama los dos al mismo tiempo y temprano, alrededor de las diez. [Pausa significativa]. Y siempre dormimos desnudos». Inténtalo.*

Mejor sexo

9

Supérate a ti mismo

Si hacer *puenting* nos hiciera sentir lo mismo que el sexo, deberíamos estar todos haciendo cola para probarlo.

Existen razones mayores y menores para explicar esos periodos en los que no tenemos muchas ganas de practicar el sexo. A veces simplemente no nos sentimos capaces de hacer el esfuerzo necesario.

Responde «Sí» o «No» a las siguientes cuestiones:

1. ¿Disfrutas con el sexo una vez que lo estás practicando y luego piensas «Deberíamos hacerlo más a menudo»?

2. ¿Existe algún motivo físico por el cual evitas el sexo?

3. ¿Existe algún motivo psicológico por el cual evitas el sexo?

4. ¿Prefieres sencillamente leer catálogos de jardinería o ver *Gran hermano* que practicar el sexo?

Si has respondido «Sí» a las preguntas 2 y 3, entonces esta idea te va a ayudar. Si has respondido «Sí» a la 1 y a la 4 entonces es más una cuestión de amor. Le debes a tu cuerpo practicar el sexo, se lo debes a tu mente y se lo debes a tu relación.

En una relación de larga duración, querer sexo es una «cuestión mental» tanto como un imperativo físico. La próxima vez que te sientas reticente ante la idea de practicar el sexo, recuerda las palabras de Tom Hopkins, autor de algunos *bestsellers* sobre las ventas: «Los ganadores casi siempre hacen lo que piensan que es más productivo para ellos en cada momento; los perdedores no lo hacen nunca». Algunas veces, sigue diciendo, el uso

más productivo de tu tiempo puede ser contemplar una puesta de sol o charlar con tu esposa. Normalmente, digo yo ahora, el uso más productivo de tu tiempo es practicar el sexo. Si se hace bien —con pasión y entusiasmo—, media hora de sexo puede resultar mucho más importante que horas y horas de cualquier otra cosa (es la última actividad

multitarea). No es sólo bueno para tu relación; es fantástico también para ti. Cuando le des vueltas a hacerlo o no hacerlo, vuelve a leer este capítulo y recuerda todo lo que el sexo puede hacer por ti. Después pregúntate: ¿Soy un ganador o un perdedor?

Una buena idea

Si te sientes un poco deprimido, intenta practicar el sexo. Con la práctica del sexo se liberan unas hormonas que tienen un efecto antidepresivo de forma que pueden hacer que te sientas muy bien cuando te encuentras triste. Es una forma especialmente útil de expresar emociones dolorosas y las parejas a veces se encuentran con que les ayuda a recuperarse de experiencias traumáticas como, por ejemplo, el fallecimiento de alguien cercano.

Tu misión

Superar la actitud de «tómalo o déjalo» en lo referente al sexo.

Tu tarea

Leer el resto del capítulo todos los días de esta semana y después una vez a la semana.

EL SEXO LIBERA EL ESTRÉS

La «relajación progresiva» es una técnica de relajación que consiste en relajar y tensar los músculos de todo el cuerpo de forma controlada. Después de practicarla durante unos minutos, sueles quedarte dormido. El sexo con orgasmo funciona de forma muy parecida (por favor, sin comentarios sarcásticos). También consiste en tensar y relajar los músculos, pero de forma más intensa. El resultado es que las personas con una vida sexual plena generalmente se encuentran menos estresados, con menos ansiedad, menos hostiles y, por extraño que parezca, con muchas más fuerzas para tomar la responsabilidad de sus propias vidas (una de las características principales de una persona exitosa, según parece).

Otra idea más

Consulta la IDEA 44, *No todo está en tu cabeza*, si tu libido se ha esfumado y te sientes perplejo.

EL SEXO AUMENTA LA AUTOESTIMA

El buen sexo nos hace sentirnos mejor con nosotros mismos porque puede constituir una experiencia realmente íntima. Se deja el alma al desnudo por un momento delante de otra persona y es un enorme empujón para el ego si a ella le gusta lo que ve. Le proporciona a nuestra personalidad un sentimiento de plenitud que raramente podemos experimentar excepto en el caso de los seres humanos especialmente evolucionados. Por supuesto, en el caso de que no recibas una aceptación incondicional sucede todo lo contrario y puedes sentirte completamente desgraciado. Ésta es la razón por la que no debes practicar el sexo con personas a las que parece que no les gusta aparcar su alma por un rato o, incluso peor, con las que están tan absortas en sí mismas que no parecen darse cuenta de lo que estás haciendo. Pero bueno, esta última frase debería estar en otro libro.

La frase

«El sexo no es la respuesta. El sexo es la pregunta. La respuesta es Sí».

Anónimo

EL SEXO ES TERAPÉUTICO

Los chinos creen que el sexo puede servir como tratamiento para un resfriado e incluso para un eczema. Bueno, de una cosa sí estamos seguros: es estupendo para el corazón tanto metafórica como literalmente. Se realizó un estudio sobre la vida sexual de las mujeres que eran ingresadas en un hospital después de sufrir un ataque al corazón. Un 65 por ciento de las mujeres evaluadas afirmaron que no experimentaban sentimientos sexuales o que, de alguna manera, se sentían infelices con su vida sexual. Cuando los investigadores preguntaron a las mujeres que estaban hospitalizadas por otras causas no relacionadas con el corazón, sólo un 24 por ciento de las mismas afirmaron tener vidas sexuales pobres o inexistentes.

EL SEXO ES CREATIVO

En un mundo ideal todos andaríamos garabateando en diarios o expresando nuestras emociones a través del baile y no hay ninguna duda de que seríamos una sociedad más feliz y menos reprimida. Pero, ¿quién se dedicaría a alimentar al gato?

Hablando en serio, muchos de nosotros no dedicamos tiempo a expresar nuestras emociones, ni siquiera a reconocerlas cuando sobrevuelan nuestra conciencia. Durante la práctica del sexo es el momento perfecto para ponerte en contacto con tu «yo profundo». Cuando os estéis tocando el uno al otro, imagina que estás expresando cómo te sientes justo en ese momento. ¿Cómo te encuentras? ¿Enfadado, triste, alegre, seguro, frustrado? Comunícaselo a tu amante a través de tus caricias, tus palabras y tus acciones. Para algunos, esto puede sonar tan aterrador como la idea de estar desnudo en una calle abarrotada de cualquier ciudad y precisamente son éstos quienes realmente necesitan experimentar el sexo como un acto creativo.

EL SEXO AYUDA A VIVIR MÁS

Es cierto. Los estudios han demostrado que aquellos que tienen una vida sexual sana son más resistentes a las enfermedades y a los efectos físicos del estrés. Los orgasmos aumentan la cantidad de glóbulos blancos (los que luchan contra las infecciones) en más de un 20 por ciento. Pero ten en cuenta que estamos hablando de una vida sexual feliz. El sexo deprimente y sin alegría no proporciona ningún beneficio, aunque, la verdad, no existen estudios sobre el tema. No sabemos porqué el buen sexo funciona, pero probablemente en parte es por los efectos beneficiosos de tener a alguien que te abrace amorosamente. Tu sistema inmunológico mejora cuando te acarician, te achuchan y te abrazan.

¿Cuál es tu duda?

P ¿Estás diciendo que debes apretar los dientes, pensar en las ventajas y practicar el sexo aunque no te apetezca?

R *Exacto. «Sentirte» sexual es una frágil flor que raramente florece. Olvida el hecho de que te apetezca o no, simplemente hazlo. Existen todo tipo de razones psicológicas por las que dejamos de practicar el sexo con nuestras parejas después de mucho tiempo. Si permites que esto pase, se convertirá en una costumbre. Esta idea tiene el propósito de modificar ese pensamiento y es precisamente por lo que necesitas leer mucho sobre los beneficios del sexo. Funciona como un lavado de cerebro.*

P Mi pareja y yo somos totalmente felices haciéndolo una vez al mes o así. ¿Estamos perjudicando nuestra salud?

R *Si tú y tu pareja sois completamente felices practicando poco o nada el sexo, pues estupendo. Pero si existe algún tipo de discrepancia (y supongo que no estarías leyendo esto si ambos os encontrarais bien), piensa un poco en la idea de practicarlo más a menudo. Piensa más sobre el sexo, haz un poco más por darte placer, haz que tu vida diaria sea lo más sensual posible. Si el problema es que tu pareja no te proporciona lo que necesitas para disfrutar del sexo, entonces tienes que hablar con ella, pero sobre todo recuerda que el sexo es una de esas cosas a las que se puede aplicar a la perfección el dicho «úsalo o piérdelo».*

10

Vibra con tu punto G

Piensa en el punto G como en el atractivo sexual de Mister Bean. Quizás no pueda hacer mucho por ti, pero eso no significa que no exista.

Está generalmente aceptado que fue Freud y los años 50 quienes destrozaron la reputación del punto G.

La estimulación de este punto clave interno, situado justo dentro de la vagina, puede producir el así llamado orgasmo vaginal. Pero cuando Freud afirmó que el orgasmo clitoral era «inmaduro» y calificó el orgasmo vaginal como superior, garantizó que la revolución sexual vendría de la mano de mujeres testarudas, que no iban a perder ni un precioso minuto obsesionadas con un escurridizo orgasmo vaginal despreciando sus adorables clítoris sólo porque una vieja gloria pensara que no eran suficientemente buenos.

El orgasmo clitoral se convirtió en la chica más popular de la fiesta mientras que el orgasmo vaginal languidecía en una esquina. Incluso los sexólogos se dieron por vencidos. Aquí está el ejemplo: «Es evidente que las mujeres sólo pueden llegar a un clímax, incluso aunque a veces clímax diferentes puedan sentirse de formas distintas. Y... este clímax se produce por un único motivo: la excitación del clítoris».

Así que incluso si perteneces a ese 30 por ciento de mujeres que afirman llegar al orgasmo mediante la penetración, la opinión generalizada será que estás equivocada o que exageras. Entonces llegaron los 90 y se puso de moda aquello de «dale una oportunidad a la bisexualidad» y una generación completa de mujeres jóvenes quisieron enseñarle a sus novios lo que habían aprendido con sus novias. Sin embargo, muchas mujeres más mayores y con una mayor experiencia sexual —conseguida a través del método «ensayo-error» con sus amantes de siempre— descubrieron que el punto G estaba vivito y coleando, pero no se dedicaron a propagarlo a voz en grito.

Una buena idea

Si quieres evitar la sensación de tener ganas de orinar mientras buscas tu punto G, vacía tu vejiga antes y lo único que saldrá será tu eyaculación.

De acuerdo, ya paro de lecciones sociológicas, pero es fascinante pensar que existen modas respecto a los orgasmos igual que respecto a cualquier otra cosa. Sea como sea, esto es lo que se opina ahora. La mayoría (si no todas) de las mujeres tienen un punto G. Algunas personas experimentan

una increíble excitación sexual cuando se les estimula el punto G. Algunas sienten una cálida sensación creciente parecida a la de escuchar un estupendo coro de villancicos en Navidad. A algunas la estimulación del punto G les resulta profundamente irritante. Otras no sienten nada. Y muchas sienten una imperiosa necesidad de hacer pis que, dependiendo de su desenvolvimiento sexual, las hace sentirse insoportablemente excitadas o insoportablemente incómodas. La única forma que tienes de descubrir si tu punto G merece la pena es darle una oportunidad.

Hay buenas y malas noticias para todos los hombres que estén leyendo esto y que se excitan con el pensamiento de un orgasmo femenino provocado por la penetración. ¿Las buenas? En este caso el tamaño realmente no importa, porque el punto G está situado dentro de los primeros seis centímetros de la vagina. ¿Las malas? Hacer el amor como un loco no te ayudará a encontrarlo. Tu pareja no llegará al orgasmo a través de una penetración profunda y enérgica a la manera tradicional de las viejas pelis porno. Por el contrario, alcanzar el punto G con el pene requiere una penetración superficial, habilidad y un poco de concentración.

Otra idea más

Para encontrar más formas de hacer feliz a vuestro punto G, consulta la IDEA 36, *Ve de compras y diviértete*, y la IDEA 37, *¡A jugar!*

MUJERES...

Poneos de cuclillas y tocáos. El punto G está situado en la parte delantera de la pared vaginal entre la mitad y el tercio del camino a la entrada del cuello del útero, unos pocos centímetros adentro. Es un poco rugoso y mide alrededor de dos centímetros. ¿Dificultades? Busca algo que parezca más una cadena que un círculo. La presión en el punto G resultará esponjosa ya que lo que estás sintiendo más allá de la piel de la vagina es el aislante que rodea la uretra, que conduce la orina desde la vejiga hasta el exterior de tu cuerpo. La vaina aislante contiene múltiples glándulas que rezuman durante la excitación sexual y cuando la estimulación es correcta producirán un fluido claro que saldrá por la uretra exactamente igual a como lo hace el pis. Pero la composición de este fluido es completamente diferente de la de la orina y es, de hecho, la llamada eyaculación femenina.

A muchas personas no les gusta la idea de que las mujeres eyaculen. Y muchas de esas personas son mujeres. Pero relajaos hermanas. Abrazad los fluidos de vuestro cuerpo. Incluso si no queréis llegar hasta el final, el juego con el punto G resulta placentero para la mayoría. Muchas personas consiguen un gran placer sólo con acariciarlo un poco alrededor. Y entre ellas no hay ningún hombre.

La frase

«El placer sexual en las mujeres es una especie de hechizo mágico; exige un completo abandono; si las palabras o los movimientos se alejan de la magia de las caricias, el encantamiento se rompe».

MASTERTON Y COLDWELL

HOMBRES...

Los hombres que quieran usar el punto G para reflotar el barco del amor con sus parejas descubrirán que usar el dedo en vez del pene es mucho menos cansado. Con tu pareja sentada o acostada delante de ti, inserta tu dedo índice y aprieta firmemente de manera repetida. Tienes que ir bastante rápido y si a ella le gusta, deja que te demuestre primero cómo debes actuar o podrías hacerle daño. También trata de curvar el dedo (como en el gesto que haces para que alguien se acerque) y presiona repetidamente en el punto G.

Si te cansas y decides emplear tu «varita mágica» del amor en la búsqueda, recuerda que la penetración poco profunda es la única que funciona para esto y dirígela como si buscaras el ombligo. La penetración desde detrás es la mejor postura; la «cuchara», en la que ambos os acostáis de lado situándose él detrás de ella, es la más sencilla para los dos. ¿Que no ocurre nada? Intentadlo con un vibrador que esté especialmente diseñado para estimular el punto G. Algunas mujeres pueden sentir la necesidad de hacer pis mientras lo están usando, como si estimular el punto G fuera igual a presionar la uretra. Pero continuad, porque eso significa que os estáis acercando.

¿Es esto muy importante? A prácticamente todas las mujeres les gusta que la parte anterior de su vagina reciba atención debido al enorme número de terminaciones nerviosas que residen en la zona. Estar atento a cómo reacciona a los diferentes tipos de estimulación (manos, vibrador y pene)

Idea 10. Vibra con tu punto G

sólo puede mejorar vuestro repertorio sexual de sensaciones. Pero no os obsesionéis con este tema. Lo último que necesitan las mujeres es otra parte de su cuerpo de la que preocuparse.

P Estuvimos intentándolo durante diez minutos. No pasó nada especial aunque yo disfruté bastante. ¿Es suficiente tiempo?

R *Es demasiado tiempo para un primer intento. Volved a intentarlo cuando tengáis una sesión sexual particularmente larga y animada y estéis muy excitados. De hecho, cuanto más excitados estéis mejor será. Que os sintáis presionados no os ayudará, así que compra un vibrador y experimenta por tu cuenta.*

P No podemos encontrarlo. ¿Qué es lo que hacemos mal?

R *Cuando buscáis juntos el punto G es crucial que dediquéis mucho tiempo a los prelimi-nares. El punto G expulsa líquido cuando su portadora está excitada y no puedes encontrarlo de otra manera. Así que, cuando ella esté cerca de llegar al orgasmo, aplica una presión firme y constante en el punto G. En realidad existe otro punto sensible justo encima del punto G, entre él y la entrada al cuello del útero. Prueba a experimen-tar con la pared anterior de la vagina en general. Probablemente te sorprenderá lo que descubrirás.*

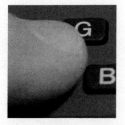

11

Pagar por ello

El sexo profesional puede excitaros a ambos.

Con las fantasías sobre la prostitución ambos sexos pueden tener un buen empujón. En ellas exploramos nuestras actitudes hacia el poder y el control (que con frecuencia tienen una alta carga erótica) y ambos sexos son capaces de disfrutar de la libertad de imaginar que no tienen ningún tipo de prejuicio ni restricción hacia el sexo.

El «cliente» obtiene la emoción de la transacción limpia, de la libertad de pedir lo que quiere, de tener el control, de estar al cargo. La prostituta consigue la prueba visible de que él valora lo que ella hace en la cama. (A modo de aclaración, estoy siendo tradicional y asumiendo que «él» es el cliente y «ella» la prostituta pero, por supuesto, esta fantasía también funciona al contrario: la mujer cliente ejerciendo el poder y el semental alquilado también sirve estupendamente para excitarse).

Para esta fantasía, sí es una buena idea que hayáis tomado un par de copas antes, ya que el alcohol os desinhibirá a la hora de representar un papel y para que esta idea funcione, ambos necesitáis estar completamente metidos en vuestro papel.

Una buena idea

Existe una forma sencilla de añadir un mayor sentido de realidad a la fantasía de pagar por el sexo: que ella consiga de verdad el dinero.

EN ESCENA

1 El clásico

Planead un encuentro en la esquina de una calle en un momento concreto. Aseguraos de que no existe ni la mas mínima posibilidad de que os confundan o tendréis una dosis de realidad mayor de la que esperabais. Ella deberá vestir tan sexy como pueda sabiendo que se va a mostrar en público; el simple hecho de quitarse las bragas justo antes añadirá una sensación de trasgresión. A la hora convenida, él pasará en su coche y le preguntará si está disponible. Ella responderá, «¿Para qué?». Entonces él se lo dirá explícitamente y ella responderá con el precio. Regatear o «negociar un precio» puede ser excitante y ella no debería subirse al coche hasta que el trato esté cerrado. Después puedes conducir hasta vuestra casa fingiendo que es el lugar en el que ella trabaja o, si os atrevéis, usar el coche (en algún lugar privado, por supuesto, o de nuevo el juego correría peligro de convertirse en demasiado real...).

2 El ligue

Ella está sentada en el bar de un hotel, con aspecto sexy pero recatado. Ayudará que tenga un aspecto ligeramente diferente del habitual —más maquillada, con otro peinado, con unos tacones más altos—, un aspecto que le haga sentir que no es ella. También debería asegurarse de que su ropa interior es completamente nueva, algo que él no haya visto antes. Pedirá una bebida distinta de la habitual y adoptará un nombre y una personalidad diferente, sin forzar mucho la situación para que le salga de manera natural. Lo mismo sirve para él: él debe inventarse una nueva personalidad y actuar conforme a ella.

Él se acercará a ella y, aunque deberá hacerle algunos halagos, finalmente la conversación no debe ser muy diferente a la descrita en el apartado anterior. Mantened el contacto visual. Es más sexy. Cuando estéis preparados, id a casa (o todavía mejor, alquilad una habitación). No habléis demasiado.

3 La habitación de hotel

Reservad una habitación de hotel y pagadla por adelantado.

Ella llegará primero y cambiará su aspecto: se pondrá una peluca si le gusta la idea, vestirá lencería que él nunca haya visto antes, tacones, un perfume diferente, un salto de cama si no está cómoda moviéndose desnuda por la habitación. Lograd que el ambiente sea seductor con música y velas. Ella debe meterse en el personaje: es una chica de alto nivel y su trabajo es hacer que él se sienta bien. Las chicas de alto *standing* están tan bien pagadas porque son brillantes actrices, así que ella debería poner todo su empeño en ello.

Otra idea más

Combina esta idea con la IDEA 15, *Algo para el fin de semana*. Salir fuera puede crear el escenario perfecto para llevar esta idea a la práctica.

Por fin, él llama a la puerta y ella le deja entrar. Cuando os presentéis, utilizad nombres diferentes. Abrid una botella de champagne. Él puede parecer nervioso, puede caracterizar así a su personaje. Pero ella debe mostrarse segura y provocadora, coquetear o mostrarse voraz sexualmente. Ella debe descifrar lo que desea su cliente y buscar las pistas necesarias (él, por supuesto, debe actuar desde el otro lado, el lado del que frecuenta prostitutas de forma habitual). Ella debe dejar claro que está allí por una única razón que es ofrecerle la mejor experiencia sexual que él nunca haya vivido. ¿Qué sucederá? ¿Qué es lo que a él le gusta? Ella debe marcar el precio y subirlo si lo cree necesario. Ella no puede mostrar indulgencia. Ella es muy cara. Cuando el precio se haya acordado y ella tenga el dinero, lo llevará a la cama y comenzará el juego. Ella debería recordar que es su trabajo y que es realmente buena haciéndolo. Si puede introducir algunos trucos que él no se espere, pues mucho mejor. Mantened vuestros respectivos papeles hasta que él salga por la puerta.

La frase

«Siempre pagas por el sexo, aunque no siempre sea con dinero».

ANÓNIMO

¿Cuál es tu duda?

P   Para mí, la fantasía de la prostitución resulta desagradable. ¿Estoy siendo demasiado remilgado?

R   *Las mujeres que viven del sexo ejercen una poderosa fascinación para mucha gente, pero quizás tú no estés entre ellos. Sin embargo, sé por mis entrevistas a hombres sobre sus fantasías sexuales que la idea de estar con una prostituta les hace preguntarse a todos, hasta a los más reticentes: «¿Qué pasaría si...?». Y las mujeres, incluso las más feministas, sienten un pequeño escalofrío ante la idea de romper uno de los tabúes más fuertes de nuestra sociedad y representarse a sí mismas completamente disponibles, sexualmente hablando. Debido a que en nuestra cultura las mujeres deciden cuándo y con quién se acuestan, hay algo poderosamente erótico en cambiar esta ley social actuando como si ella no tuviera otra opción que ofrecerse sexualmente a cualquiera que se pueda permitir pagarlo. Esa pretendida impotencia resulta tremendamente excitante para muchas mujeres, lo apruebes o no. Pasa la página si has vivido alguna experiencia en tu pasado que te hace doloroso o desagradable pensar en la prostitución y acepta mis disculpas si te he ofendido. Pero si no es así, date una oportunidad. Lo que nos ofende supera nuestros límites y eso resulta poderosamente erótico.*

P   Disfrutamos con el sexo pero la puesta en escena fue un poco torpe. ¿Alguna idea?

R   *Intentadlo de nuevo. Introducid algunos elementos nuevos en la cita inicial o cambiad los papeles. Prometed que haréis todo lo posible para ayudaros el uno al otro con vuestros personajes. Intentad que no os entre la risa tonta. Además, la próxima vez acordad ambos hacer algo durante el encuentro que el otro no se espere. Después de todo, se supone que sois extraños y que realmente os sorprenderíais en la vida real. Si ninguna de estas sugerencias funciona, quizás el problema esté en el escenario. Así que cambiadlo.*

12

El amor está aquí, pero la lujuria ha desertado

¡Eh, pionero sexual! Sí, es a ti.

Si eres un fornicador nato en una relación sexual que dura desde hace más de siete años, estás descubriendo un nuevo territorio sexual. La raza humana no tiene mucha práctica en lo que tú estás haciendo. Simplemente no sabemos cómo llevar las relaciones de larga duración.

Como el doctor Alan Altman escribió en uno de sus libros «Mucha gente se siente desanimada cuando se encuentra incapaz de recrear aquellos primeros sentimientos estremecedores. [Pero] realmente no encontramos muchos ejemplos de cómo mantener un matrimonio de más de veinticinco años de duración vivo sexualmente. A finales del siglo pasado, un hombre de cuarenta y siete años era considerado un viejo.

¿Estamos programados para acabar aburridos de una pareja de larga duración? Hay argumentos muy persuasivos que así lo indican. Los psicólogos creen que una de las razones por las que dejamos el sexo con las parejas duraderas son los poderosos tabúes anti-incesto que son parte de casi cualquier cultura. Básicamente, en una familia «funcional», los hermanos y hermanas que crecen juntos no se sienten atraídos unos por los otros a pesar de la increíble proximidad. Sin embargo, los hermanos y hermanas que se crían separados sí se atraen con frecuencia. Puede ser que si vivimos demasiado tiempo con alguien del sexo opuesto, dejemos de reaccionar ante su carisma sexual. Y esto es por lo que no debemos mostrarnos demasiado acogedores hacia el otro ni permitir que nuestros límites se desdibujen en exceso.

Una buena idea

Una relación sexual de larga duración se desarrolla por ciclos, a veces el deseo es fuerte y otras decae. El deseo sexual es algo que puedes reavivar, pero debes asegurarte de que tu pareja está leyendo la misma página del libro que tú. Cuando pasa la primera avalancha de lujuria, no volverá sin un poco de voluntad y de compasión del uno por el otro.

Añoramos las emociones del comienzo de la relación. Anhelamos el tiempo en que nuestra pareja estaba loca por nosotros. A veces deseamos tanto este sentimiento que comenzamos otra relación sólo para recuperarlo. Y aquí es donde vienen las malas noticias. El desafío está en decidir qué hacer al respecto. Entrevista a los pioneros sexuales —los hombres y mujeres que han convivido juntos y exitosamente durante años— y te hablarán

de forma conmovedora sobre la fuerza que puede mantener la sexualidad compartida con la misma pareja durante años. Una mujer entrevistada por la escritora Brigid McConville decía «Hemos estado juntos durante tanto tiempo que cuando lo miro no lo veo sólo como mi viejo compañero sino como el hombre que me hizo el amor en una playa en Grecia, en un tren mientras cruzábamos Europa y atada al cabecero de la cama en un hotel de España. Nadie más tiene estos recuerdos íntimos. Sólo nosotros. Nadie más sabe de lo que él es capaz. Es un lazo tan fuerte que se parece al hecho de tener hijos juntos: nada puede cambiar la historia de nuestra intimidad y lo que hemos hecho y compartido y puedo traer a mi cabeza imágenes nuestras haciendo el amor en cualquier momento que lo desee».

Idea 12. El amor está aquí, pero la lujuria ha desertado

¿Cómo se llega al punto en el que la importancia de una vida de experiencia amorosa conforma tu imagen de tu amante? En dos palabras: no aburras y que no te aburran. Debes enfrentarte con algunas cuestiones un tanto duras. Si amas a tu pareja pero no te sientes atraído hacia ella, hazte la pregunta al revés. ¿Cómo de excitante resultas tú? ¿Cómo eres de apasionado? ¿Te gustas a ti mismo? ¿Te sientes vivo?

Otra idea más

Para leer más sobre cómo continuar siendo tú mismo y mantener la chispa en vuestra relación, consulta la IDEA 39, *Deja que una mujer sea una mujer y que un hombre sea un hombre,* y la IDEA 47, *Desarrollar la mística sexual.*

¿Te apasiona tu trabajo y el resto de tus ocupaciones o hobbies? ¿Tienes algunas aficiones? ¿Te sientes entusiasmado con tus hijos, tus amigos y las cosas de las que hablas con ellos?

¿Qué proyectos tienes para el futuro que te exciten?

Si te quedas en blanco cuando piensas en todas estas preguntas, es el momento de recuperar tu pasión por la vida. Si no empiezas por ti mismo, no habrá forma de que tu pareja lo consiga. Y cuidado, cambiar de pareja con la esperanza de recuperar tu pasión por la vida funcionará a corto plazo, pero nunca con el paso del tiempo. Nunca hay una respuesta completa al dilema de «sí hay amor pero no atracción sexual», pero sin duda éste es el primero y más crucial de los pasos a dar.

La frase

«Cualquiera que conozca a Dan Quayle sabe que siempre preferiría jugar al golf que practicar el sexo».

MARILYN QUAYLE, RESPONDIENDO A LA ACUSACIÓN DE QUE SU MARIDO HABÍA TENIDO UNA AVENTURA DURANTE UN DÍA DE GOLF

¿Cuál es tu duda?

P   ¿Cómo recuperas tu pasión por la vida cuando no tienes tiempo?

R   *Si no consigues sacar un poco de tiempo para esto, significa que no es tu prioridad, lo cual sería un poco triste. Una manera simple que me enseñó una sabia mujer con cinco hijos y un horario de trabajo que te haría llorar es apagar todos los aparatos eléctricos (ordenador, plancha o lavaplatos) a las 9:30 todas las noches. Esto significa que la casa está hecha un desastre y que probablemente tendrás que levantarte un poco más temprano, sentarte en el coche para llevar a los niños y terminar el trabajo que deberías haber hecho la noche anterior. Pero, y es un gran pero, así consigues tiempo casi todas las noches para disfrutar un rato sola (normalmente), con tu pareja (frecuentemente) o con amigos (ocasionalmente). Sí, incluso una noche entre semana. Sólo debes encontrar una hora al día para recuperar el juicio y traerlo de vuelta. Al principio, te encontrarás moviendo los pulgares y pensando «Debería estar limpiando el baño». Sin embargo, pronto estarás deseando que llegue «tu» hora igual que si buscaras agua en el desierto.*

P   Nuestras relaciones sexuales están bien, pero no tiembla la tierra precisamente. ¿Por qué no?

R   *No sucederá siempre, pero te aseguro que puedes sentirte tan vivo sexualmente como al comienzo de tu relación, e incluso más. El secreto está en no confiarlo todo al deseo espontáneo. Si quieres sexo excitante, debes convertirte en un experto en conseguir que suceda. Las razones por las que nos deja de interesar el sexo cuando no está proscrito y «prohibido» por la sociedad, por ejemplo, cuando estamos casados, son enormes y complejas y sólo las hemos esbozado aquí. Lucha contra tu comodidad. Hay muchas formas de combatir la inercia sexual, pero el mejor consejo para empezar es dejar de esperar que los fuegos artificiales aparezcan solitos. Piensa en el sexo, lucha por el sexo, desea el sexo, disfruta con el sexo. Úsalo para darle salsa a la vida y hazlo divertido.*

13

Descubre el placer del tacto

Aprende a expresar tu sensualidad con todas y cada una de las partes de tu cuerpo.

Pensad en actividades que os hagan ser más conscientes de vuestros cuerpos y con las que podáis descubrir nuevas sensaciones juntos. Aquí encontraréis algunas ideas para poner en práctica vuestra sensualidad durante la próxima semana.

PASO 1

Ducharse juntos es una de esas cosas que se hacen al comienzo de una relación pero que cada vez se hace con menos frecuencia a medida que la hipoteca aumenta y el cabello va mostrando sus primeras canas. Dale a tu amante una sorpresa esta semana. Espera a que en el baño haya mucho vapor . Desnúdate, métete en la ducha y enjabónalo.

Recomiendo las duchas mejor que los baños a pesar de que soy una adicta a los baños rodeados de velas, pero en el caso de encontrarse los dos mojados al mismo tiempo creo que la ducha resulta más íntima que el baño. Quizás sea porque el ruido del agua cayendo te aísla un poco del resto del mundo, os obliga a hablar menos y a estar físicamente juntos. Esto se da sólo en el caso de que vuestra ducha tenga la suficiente presión.

Un patético goteo que os hace pelearos para compartir el agua es todo menos erótico. Si estás buscando una buena razón para instalar una ducha decente, aquí la tienes, tu vida amorosa.

Una nota para las mujeres: ponte un bonito conjunto de ropa interior transparente y métete en la ducha cuando él no se lo espere. El desnudo es bueno. El desnudo es estupendo. Pero la sensación (y la vista) de la tela húmeda pegada contra tu suave cuerpo y la precipitación que experimentará por quitártela y llegar hasta tu piel os brindará a los dos una experiencia totalmente diferente.

Una buena idea

Para los hombres: en vez de utilizar vuestras manos para masajear su cuerpo, usad la parte sensible del interior de vuestros antebrazos; los dos descubriréis una nueva sensación.

PASO 2

Buscad formas diferentes de sorprendeos el uno al otro con sensaciones inesperadas:

- Vístete con algo diferente a lo habitual. Si normalmente duermes desnudo, prueba con unos pantalones de pijama de seda. Si normalmente usas un camisón sexy, cámbialo por un conjunto de braguitas y camiseta de algodón blanco.

- Usad una pluma mientras mantenéis relaciones sexuales. Pide a tu amante que cierre los ojos y pásala sobre su piel desnuda. Algunas personas lo odian, a otras les encanta, pero sensibiliza la piel desnuda y la hace más reactiva a otro tipo de estimulación.

- Calienta una toalla con el secador del pelo mientras tu amante se está bañando y ofrécesela cuando termine. Una toalla cálida y calentita es deliciosa, inesperada y os ofrece la posibilidad de explorar puntos calientes. Asegúrate de que tu pareja hace lo mismo por ti en alguna ocasión.

Idea 13. Descubre el placer del tacto

- Toma un cubito de hielo y deslízalo por la espalda desnuda o por los pezones de tu amante hasta que se derrita mientras estáis haciendo el amor. Profundizad en las sensaciones, desde la sorpresa hasta las cosquillas. Hay parejas que lo combinan con suaves palmadas para excitarse. El calor después del frío resulta muy sensual.

Otra idea más

Consulta la IDEA 34, Un baño de amor, *para descubrir más sugerencias sobre qué hacer en la ducha. La IDEA 45,* Presiona (no en el mal sentido...)*, te ofrece algunos detalles sobre técnicas de masaje.*

PASO 3

La firma sexual de Marilyn Monroe no tenía nada que ver con su aspecto (ya que su amante no podía verla en ese momento) ni con el grado de satisfacción sexual de su pareja (él no llegaba al orgasmo) sino que se centraba totalmente en la fuerza electrizante que el tacto puede provocar en un adulto macho medio profundamente necesitado de un contacto físico completo e intensamente sensual.

Marilyn, según cuenta la historia, pedía a su amante que se echara de espaldas sobre la cama y que permaneciera muy, muy quieto. Una vez que se encontraba en esa posición, ella montaba sobre él a horcajadas desde detrás y le susurraba al oído cómo él la iba a ayudar a llegar al orgasmo. Después, aplicaba abundante aceite en la espalda de él y en su propio cuerpo y comenzaba a deslizarse sobre él arriba y abajo, frotando su vulva y su clítoris contra su espalda y sus nalgas una y otra vez, encontrando el punto justo para que al apretar las caderas recibiera la presión correcta, susurrando todo el tiempo lo excitada que estaba, lo caliente que estaba, lo cerca que estaba... hasta que finalmente, inevitablemente, llegaba al orgasmo. El chico probablemente también se divertía bastante.

La inteligente Marilyn sabía que resulta más excitante que tu amante se vuelva loco por ti haciéndole saber que te está poniendo a cien, mientras te aseguras de que se lo pasa bien al mismo tiempo.

La frase

«Lo que sugiero es que el sexo debe ser algo más y debería incluir todas las cosas, desde besarse hasta sentarse juntos y cerca».

SHERE HITE, INVESTIGADORA SEXUAL

Mujeres: probad vuestra propia versión de la maniobra de Marilyn.

Hombres: para volver a despertar vuestro sentido del tacto (la clave de este ejercicio), podéis masajear a vuestra amante pidiéndole que se quede completamente quieta. Una vez que esté relajada, usad vuestra imaginación, y su cuerpo, para encontrar la forma de que tú llegues al orgasmo sin que ella tenga que mover un dedo. Conseguirás puntos extra si te las arreglas para tenerlo, pero aunque tú no lo hagas, asegúrate de que ella sí.

¿Cuál es tu duda?

P Mi pareja encuentra este tipo de cosas un poco desagradables. Incluso le parece que tomar una ducha juntos es más irritante que interesante. ¿Qué puedo hacer?

R *Es un hombre que rechaza profundamente algo, aunque no tengo ni idea de qué es exactamente. Algunas de las propuestas de este libro pueden hacer que los hombres se sientan algo tímidos al respecto e incluso un poco tontos. Ésta en concreto puede resultar especialmente difícil. Lo que tiene que entender es que esto no va con él sino contigo. ¿Se siente preparado para hacer un pequeño esfuerzo para que tú seas más feliz? Ésta puede ser una razón más que suficiente para que lo intente. Ten paciencia y mientras tanto compórtate de la manera más sensual siempre que tengas oportunidad. Pídele que comparta esto contigo. Así podrías reducir su reticencia.*

P Esto suena genial, pero ¿realmente ayudará a mejorar nuestra vida sexual?

R *Es una buena pregunta. Deslizar una pluma sobre tu piel no produce unos orgasmos de escándalo. Pero aprender a ser más sensible al poder del tacto también os hará estar más sensibles mientras hacéis el amor y más dispuestos a experimentar. El hecho de seguir estas ideas u otras similares mejorará la comunicación entre vosotros. Serás un mejor amante. Y todas estas cosas sí que mejorarán vuestra vida sexual.*

14

¡Sorpresa!

¿Cuánto tiempo hace que no sacas a relucir tu lado creativo?

Laura Corn, autora de algunos libros muy exitosos sobre el sexo, ha basado sus ideas en un concepto muy simple: la importancia del factor sorpresa. Cada una de sus sugerencias depende del hecho de que tu pareja ni siquiera se imagine qué delicia sexual estás planeando.

Es un truco inteligente y realmente funciona. Sorprende sexualmente a tu amante una vez a la semana durante un año y puedes estar seguro de que el aburrimiento nunca se instalará en vuestra cama. Fomentar el elemento sorpresa en vuestra vida sexual os mantendrá jóvenes y juguetones, conservará vivos vuestros sentimientos y hará que tu pareja continúe loca por ti.

Un pequeño esfuerzo por sorprender a tu amante con una nueva técnica, forma de seducción, forma de vestir o un nuevo comportamiento cosechará enormes mejoras. Como todo será inesperado, la sorpresa puede ser cualquier cosa que quieras. Puede ser obscena, divertida, dulce y romántica o puede ser más embarazosa que una noche de karaoke en el bar de debajo de vuestra casa.

Una buena idea

Introduce algo ligeramente diferente todas y cada una de las veces que hagáis el amor. Inserta un elemento sorpresa. Después de una semana, esta práctica formará parte de la rutina y la recompensa habrá merecido la pena.

POR QUÉ LA SORPRESA FUNCIONA

Algunas de tus sorpresas serán sencillas de organizar. Otras conllevarán cierta planificación. Puedes emplear una hora (o más) preparando una estupenda escena de seducción para tu pareja, pero el resultado final (y esto no es una exageración) estará vivo en el disco duro de su memoria durante el resto de su vida. El sexo, cuando es estupendo, produce ese tipo de efecto en nosotros.

Pero incluso más inolvidable que el buen sexo para tu hombre es sentirse amado de verdad. Los hombres, exactamente igual que las mujeres (de hecho, si hacemos caso a los psicólogos, incluso *más* que las mujeres) se sienten encantados cuando tienen la prueba de que alguien los quiere tanto como para dedicar su tiempo y su pensamiento a descubrir la forma de seducirlos. A todos nos encanta sentirnos especiales.

¿QUÉ HAY QUE HACER PARA QUE FUNCIONE?

Pues los dos necesitáis comprometeros con la idea. Sólo podrás esforzarte por sorprender a tu pareja si sientes que él o ella va a realizar el mismo esfuerzo por ti.

Yo recomiendo los escritos de Laura Corn porque te proporcionan, además de muchas ideas, la forma de llevarlas a cabo. El elemento sorpresa no puede ser espontáneo, al menos no al principio. Si no lo planeamos, nos volvemos vagos y dejamos de darle importancia. Me explico, tu propósito es «garantizar» la sorpresa de tu amante. En otras palabras, aunque sean capaces de prever que van a ser sorprendidos, nunca sabrán qué es lo que va a sorprenderles.

Otra idea más

Será especialmente improbable que tengas una vida sexual aburrida si combinas esta idea con la IDEA 17, *Aprende el arte del Kaizen*.

Si no te apetece seguir las sugerencias de ningún libro, entonces «hazlo a tu manera». O simplemente, personaliza algunas de las siguientes sugerencias para que el balón siga rodando:

La frase

«Nosotras deseamos saber cómo excitar a nuestros hombres. Queremos que ellos sepan qué nos excitan a nosotras. A nosotras nos gustaría más variedad..., más preliminares..., más interés..., trucos nuevos..., y, de vez en cuando, ¡alguien que haga todo el trabajo!».

LAURA CORN

Para ella:

- Él está en la ducha. Espera hasta que el vapor lo cubra todo y el ambiente esté caldeado y entonces deslízate a su lado vistiendo tu lencería más sexy. Si hay algo capaz de excitarle más que verte desnuda, es el tejido húmedo pegado a tu cuerpo. (Los hombres también pueden intentar esta idea, pero los calzoncillos deben ser de seda, ya que los de algodón con la parte de delante en forma de Y no se deslizan nada bien).

- En tu próxima cita, puedes dejarte el abrigo puesto. Bueno, ya sabes, no quieres que todo el restaurante se dé cuenta de que no llevas nada debajo. Sólo quieres que él lo sepa.

Para él:

- Cómprale una caja de su vino favorito (una docena de botellas diferentes sería aún mejor, pero puede ser pedirle demasiado a tu imaginación). Alrededor del cuello de cada una de las botellas, ata un papel en el que estén escritos los detalles de dónde y cuándo os la vais a beber juntos. Esto será como pequeños sorbos de placer. Deja que tu imaginación vuele libre.

- Una noche cualquiera, cuando os pongáis cariñosos de una forma tierna, cambia de personalidad de forma repentina. Como el Doctor Jekyll y Mister Hyde. Deja de sonreír. Ponte serio. Domínala. Ata sus muñecas al cabecero de la cama y tápale los ojos. Después puedes hacer todo lo que desees, pero si quieres que ella recuerde esa noche para siempre (y especialmente si está realmente enfadada contigo), penétrala hasta que deje de maldecir y empiece a suplicar.

- Emplea una hora entera más o menos en darle placer de forma sensual, como mediante sexo oral, lavándole el pelo, pintándole las uñas de los pies, aplicándole crema hidratante en cada centímetro de su cuerpo o abrazándola y achuchándola hasta que se quede dormida. No le permitas que haga nada en respuesta.

Idea 14. ¡Sorpresa!

¿Cuál es tu duda?

P   Intenté comportarme de forma un poco ruda pero a mi mujer le horrorizó. ¿Cómo puedo volver a intentarlo?

R   *Lo más importante en todo este asunto de la sorpresa es que no sea una sorpresa negativa para tu pareja. Tenéis que hablarlo antes y poneros de acuerdo en el concepto general de introducir el elemento sorpresa en vuestras relaciones sexuales. Si os habéis instalado en la rutina, quizás que te aten puede ser excesivo en un primer momento. Sorpréndela con ideas menos radicales, después habla con ella sobre sus sentimientos en cuanto a ser un poco rudo, ya que quizás el problema no haya sido la rudeza sino que se haya quedado impactada con tu cambio de actitud repentino.*

P   Le compré a mi esposa lencería cara y la dejé colocada sobre la cama. Cuando la vio, sonrió y dijo que la guardaría para una «gran ocasión». ¿Qué es lo que hice mal?

R   *Probablemente se sintió presionada. Tienes que ser cuidadoso en no limitar la sorpresa sólo a la lencería, sino que la sorpresa debe ser ella cuando se la ponga. De hecho, olvida la lencería por un momento y concéntrate en darle un masaje la próxima vez que ella se sienta cansada. Sorpréndela con algo de romance y dedicación durante algunas semanas y después explícale que estás intentando mejorar vuestra relación. Si le gusta la idea, sugiérele que si le apetece, puede sorprenderte con la lencería alguna vez, cuando ella quiera. Recuerda: no la presiones. Habla sobre ello y después continúa con el romance, la dedicación y alguna pequeña sorpresa cuando estéis en la cama. Seguro que no tarda mucho en unirse al juego.*

15

Algo para el fin de semana

El tiempo que pasáis fuera juntos intensifica vuestras experiencias. Hacer del sexo el punto principal de la escapada revitalizará vuestra vida sexual.

Bridget Jones convirtió la «miniescapada» romántica en una broma, pero si vuestra relación pasa por horas bajas, unos días alejados de todo es una oportunidad perfecta para recargar vuestras baterías sexuales.

Darle prioridad al sexo antes que, digamos, a ver paisajes o a hacer rutas gastronómicas, servirá para mantener encendida vuestra vida sexual probablemente durante meses. La razón es que un nuevo lugar os proporciona la oportunidad de inventaros a vosotros mismos. Os mostraréis más atrevidos y más centrados el uno en el otro. Y si existe algún aspecto problemático, podéis planificaros para arreglarlo durante el fin de semana.

A continuación se incluyen algunas ideas para resolver dos problemas comunes en una relación durante una típica escapada de dos días. Úsalas como modelo para escribir tu propia «receta de amor». (Perdón por la cursilada, pero no he podido resistirme).

Dificultad: Os estáis volviendo simplemente buenos amigos.

Objetivo: Reestablecer vuestra condición de amantes.

Resulta muy sencillo caer en la rutina y convertiros en buenos compañeros en vez de en ardientes amantes. Todo lo relacionado con la escapada debe estar enfocado a recordaos las cosas sensuales de la vida. No os dediquéis a visitar cosas culturales a menos que el arte moderno os excite tremendamente. Pensad en largos almuerzos con vino en cafés en penumbra y en cómo volveréis después al hotel para la siesta porque hace demasiado calor para cualquier otra cosa. Pensad en el sur de España o en Italia.

Una buena idea

Conseguid una habitación y experimentad la fantasía de «pagar por hacer» lo que siempre habíais deseado poner en práctica.

El objetivo sexual del fin de semana debería ser redescubrir lo que os excita del otro e intensificar vuestra unión como amantes. Podéis hacerlo.

Día 1. Trabajad la excitación. Besaros, tocaros el uno al otro, pasad horas con los preliminares pero romped vuestra rutina de tener sexo para terminar. Imaginad que acabáis de empezar a ser amantes y que no estáis dispuestos a moveros de esa primera etapa de la relación. Mostrad un poco de timidez (por ejemplo, cerrando la puerta del cuarto de baño). Emplead un poco de tiempo en mejorar vuestro aspecto. Miraos como lo hacíais los primeros días que estuvisteis juntos. Trabaja los sentimientos de ternura y afecto hacia tu amante, mírala a través de las mismas gafas con cristales color de rosa que te ponías en los comienzos. Proponte encontrarla profundamente tierna, sin importar lo irritante que te resultara justo el día antes. Permítete ser galante.

Día 2. Acordad hacer algo que no podáis olvidar nunca. Probablemente podáis recordar vívidos detalles de vuestra relación sexual durante los primeros seis meses de la relación. Son los últimos seis años los que presentan más problemas... Después de reconstruir el ayer, cread nuevos recuerdos compartidos que se mantendrán con los dos cuando volváis a casa y encenderán el deseo cuando la rutina amenace de nuevo con instalarse. Sacadle el máximo partido al nuevo escenario. Moved los espejos de vuestra habitación del hotel de forma que podáis miraros mientras mantenéis relaciones sexuales. Empuja a tu amante contra un muro mientras paseáis por una callejuela llena de encanto. Buscad un lugar oscuro y hacedlo en la playa.

Dificultad: Vuestro amor es predecible.

Objetivo: Volver a despertar la chispa.

Normalmente, cuando el sexo es predecible, se pierde temporalmente ese sentimiento especial de cercanía que te proporciona la confianza de iniciar cosas nuevas y de explorar tu sexualidad. Elegid un lugar en el que os resulte fácil relajaos y pasad el tiempo hablando el uno con el otro. Evitad cualquier cosa que implique demasiado jaleo o incluso demasiadas emociones, así que olvidad lo de viajar con la mochila por Europa del este. Pensad más bien en un tranquilo albergue en el sur de Francia o en una lujosa casa de campo en Inglaterra.

Otra idea más

Si salir fuera supone algún problema, mira la IDEA 51, *Destinos de ensueño*.

Día 1. Cread intimidad, que la habitación de vuestro hotel sea un santuario de la sensualidad. Llevad aromas y velas de casa. Emplead un par de horas en bañaros, ducharos y daros masajes el uno al otro antes de la cena. No os precipitéis al tener sexo (o, si lo hacéis, mantened después el contacto sensual). Vivid el momento. Redescubrios el uno al otro. Cogeos la mano. Miraos a los ojos tanto como podáis. Pasad una hora hablando sobre vuestros sentimientos respecto al trabajo, la familia, los amigos y vuestra relación. Tu meta es lograr que tu amante se sienta querido y escuchado.

Día 2. Romped con lo establecido. Cada uno de vosotros escribid en un papel tres cosas que os gustaría intentar. Pensad sobre ello con antelación de forma que os resulte sencillo. Haced turnos para satisfacer los deseos del otro. Si encontráis que os resulta demasiado difícil, organizadlo como un juego en el que cada uno es el esclavo sexual del otro.

La frase

«Cuando haces algo pervertido es como, sí, la primera vez. Siempre recordamos la primera vez... Ni siquiera es necesario que fuera una experiencia positiva, pero la recordamos. Y ésa es la clave, el recuerdo.

BETH LAPIDES, ACTRIZ AMERICANA

¿Cuál es tu duda?

P Es estupendo pasar fuera algunos días. Después, los sentimientos tiernos y amorosos desaparecen y todo vuelve a como era antes. ¿Cómo podemos mantener ese sentimiento amoroso?

R *Haz que el «cambio» sea un mantra en todos y cada uno de los aspectos de vuestra vida en común. Os servirá para ser más espontáneos el uno con el otro. Por ejemplo, cambiar de sitio la cama en vuestro dormitorio puede remover el subconsciente y ayudar a mantener las cosas frescas en el dormitorio. A veces puede ser tan simple como cambiar vuestros lados de la cama. ¿Quién hizo la regla de que cada uno debe dormir siempre en el mismo sitio? Montad un picnic frente a la tele. ¿Uno de vosotros tiene que llevar siempre el coche a lavar? Pues que el otro lo haga al menos durante un mes. Si estás constantemente realizando pequeños cambios en vuestra vida diaria, los cambios entrarán de forma automática en el dormitorio, o en la mesa de la cocina si realmente estás captando el espíritu del cambio. Cuando el cambio es una cosa más en tu vida, es más sencillo hacer nuevas sugerencias a tu pareja en el plano sexual.*

P Para nosotros es muy difícil sacar tiempo para irnos fuera. ¿Tienes alguna sugerencia?

R *Bien, estableced dos días para pasarlos juntos en casa y trabajad vuestro horario del amor. Y si realmente no podéis encontrar tiempo para estar juntos en casa, entonces tenéis un gran problema. Muy pocas personas tienen razones verdaderas por las que no puedan pasar tiempo juntos si están lo suficientemente motivados. Si no estás lo suficientemente motivado, entonces ése es tu problema. Hablad sobre esto primero.*

16

Piensa diferente

Recuerda: no siempre logramos lo que queremos. Pero por pedirlo... no se pierde nada.

Tu misión, en el caso de que la aceptes, es pedir a tu pareja que intentéis algo que estés convencido que nunca se le hubiera ocurrido a ella. Esta idea es genérica y sirve desde para pedir que practiquéis sexo en grupo, boxeo, votar a un nuevo partido o lo que sea.

PLANTEAR LO OBVIO

Si deseas intentar algo fuera de la norma, entonces tienes que comunicárselo a tu amante, ya sea de forma física o verbal.

1. Primero, maquíllalo fingiendo una crisis de madurez. Cuéntale que estás preocupado por que te deje, porque hay parejas que se rompen por todas partes. Hazlo con el corazón en la mano, delante de una botella de vino, o mostrando tu preocupación después de que tu forma pensativa de comportarte le haya mantenido preocupado preguntándose qué iba mal. Yo recomiendo lo primero, pero, bueno, es tu relación. Dile a tu pareja que, aunque vuestra vida amorosa está bien, sientes que te has dejado un poco y que no quieres que se aburra. Modifica este guión básico dependiendo de los niveles de credibilidad

de tu pareja, pero mantén la idea básica: sabes que es tu problema, no el suyo. Y entonces comienza a hacer cambios en tu vida amorosa.

2. Una vez que lo has confundido un poco y que intentas de forma regular cosas nuevas, sugiere un pequeño primer paso hacia aquello que realmente deseas. Si quieres que tu pareja te fustigue con un látigo de nueve colas, entonces puedes empezar por sugerir que experimentéis con un dolor menos agudo que podrías conseguir, por ejemplo, vertiendo un poco de cera caliente directamente sobre tu piel. Éste puede ser un buen comienzo.

3. No pierdas nunca de vista tu objetivo final. Sé paciente. Insiste durante seis meses si es necesario.

Una buena idea

Si todavía te da vergüenza pedir lo que realmente quieres, recuerda que lo que hoy es un tabú se convertirá en una norma mañana. Disfruta de la idea de ser un pionero sexual y piensa en todos aquellos pobres hombres que pasaron los 50 años suspirando por que les practicasen una felación pero a los que les dio miedo pedir que se la hicieran por si los consideraban unos pervertidos.

NUNCA OLVIDES

El secreto para persuadir a tu amante de hacer algo perverso que deseas realizar y en lo que él no está demasiado interesado es dejarle claro que no es en la cosa en sí en lo que estás interesado, si no en tu amante haciendo esa cosa en concreto. Usa la imaginación, el tacto y los halagos para encontrar el modo en que esto sea evidente.

Correcto: «Tu culo está estupendo enfundado en licra».

Incorrecto: «Todo lo que se me viene a la cabeza es la imagen de Michelle Pfeiffer vistiendo ese disfraz de Cat Woman».

Recuerda que el secreto es *siempre* el mismo: lograr que tu pareja se sienta especial y convencerla de lo especial que es para ti. Seguro que te resultaría divertido pensar en las cosas de las que unas personas convencen a otras con esta estrategia tan terriblemente simple. Pero te aseguro que he visto los informes de la policía.

Otra idea más

¿Buscando alguna idea original para ponerla en práctica? Para encontrar algo de inspiración, consulta la IDEA 21, *Levanta el trasero*, y la IDEA 31, *¿Sumisión o sometimiento?*

CÓMO NO DEBE HACERSE

Una vez recibí una carta de un hombre que no podía entender por qué su nueva novia se negaba a unirse a él y a sus cinco mejores amigos cuando se sentaban desnudos con una cerveza a tomar una sauna. A él le excitaba mucho y su ex-mujer nunca había tenido ningún problema al respecto. ¡Dejar que sus amigotes la miraran de forma obscena y la compararan con la anterior debía haber resultado muy atractivo para su nueva novia! Claramente no estaba tan interesado en la chica en sí como en su voluntad de mostrarla desnuda ante sus amigos. Algo me decía que este hombre iba a tener que cargar con muchas desilusiones.

La frase

«Las extravagancias sexuales no son sinónimo de abandonar el sexo «normal», adoptar un nuevo estilo de vida, unirse a una «comuna» y convertirse en un «raro». En realidad son una forma de que el sexo sea más excitante. Es una manera de dar voz a tus deseos más oscuros y quizás un tanto perturbadores mediante la exploración de nuevas sensaciones, jugando a juegos imaginativos e intelectuales. Es que una parte de tu vida sexual diaria sea diferente... De acuerdo, quizás sólo durante el fin de semana y las vacaciones...».

EM Y LO, GURÚS DEL SEXO EN *NERVE.COM*

La última palabra: muchas vidas sexuales se benefician con la inclusión de unos cuantos y pequeños elementos más que con el uso de grandes fetiches. Así que dale una oportunidad y si ves que no es lo tuyo, no lo intentes de nuevo.

¿Cuál es tu duda?

P Me gustaría practicar el sexo colectivo. Inicialmente, sólo mirar cómo lo hacen otras parejas. Se lo he mencionado a mi esposa varias veces, pero la verdad es que no está muy dispuesta.¿Cuál debe ser mi siguiente paso?

R *No siento mucha simpatía por el amante intimidador y me temo que tú eres uno de ellos. Los intimidadores sexuales siempre juegan con variaciones sobre este único tema: «Yo amo a mi pareja. La amo de verdad. Simplemente, ver cómo se desarrolla un encuentro sexual en grupo en un aparcamiento siempre ha sido mi mayor fantasía sexual y, desgraciadamente, a ella no le interesa». Los intimidadores sexuales siempre empiezan con «Te quiero» y terminan con «Si tú no lo haces, encontraré a alguien que sí desee hacerlo». Así que si ésas son tus intenciones, deberías reflexionar detenidamente sobre qué dice este comportamiento sobre ti.*

P ¿Cuándo pasan las pequeñas perversiones a constituir un problema?

R *Si tu amante comienza expresando el deseo de que te afeites el vello púbico, de que camines sobre su espalda subida en unos altísimos tacones y que lamas chocolate en su trasero, entonces eres tú la que debes plantearte si es éste el amante que quieres y la forma en que deseas que añada un poco de diversión a vuestra vida sexual, o si el afeitado, los taconazos y el chocolate son un requisito imprescindible para tener buen sexo contigo, con él o con quien sea. Si es esto último, tienes entre manos a un fetichista y también eres tú la que tiene que decidir si quieres que el fetiche sea un factor constante en tu vida amorosa. Si puedes aceptar e incorporar las perversiones de tu amante, él te adorará por ello. Y quiero decir que realmente te amará. Existen pocas cosas más entregadas que un fetichista que tiene la enorme suerte de encontrar una pareja que tolere su obsesión. Pero si es algo que sólo te gusta de vez en cuando, tienes que ser muy fuerte a la hora de establecer los límites.*

17

Aprende el arte del Kaizen

Kaizen es un concepto japonés que significa «Pequeños cambios, grandes diferencias» y puede revolucionar tu vida amorosa.

Los psicólogos dicen que si quieres mantener alejada la locura tienes que mantener el cerebro en los tobillos. Tu cerebro funciona dentro de unos cauces bien determinados y deberías romperlos para mejorar tus oportunidades de estar mentalmente alerta.

Probablemente, te lavas los dientes de la forma que aprendiste durante tu niñez, pero si sorprendes a tu cerebro lavándote los dientes con la otra mano, le obligarás a trabajar más duro y a permanecer más fresco. Cambiar tu rutina aunque sea ligeramente —tomando un camino diferente para ir al trabajo, abrazando a los amigos que te encuentras en vez de besarlos, haciendo la principal comida del día por la noche— te proporcionará una perspectiva diferente, una nueva forma de ver las cosas. Incorporar cosas nuevas hará lo mismo con tu vida sexual.

Una buena idea

Oblígate a cambiar tus hábitos «normales» durante un mes. Tendrás que esforzarte más para obtener buenos resultados pero te obligarás a ser más imaginativo.

Prométete a ti mismo que la próxima vez que hagas el amor, intentarás marcar una diferencia en la medida de lo posible. Si siempre empiezas con besos, comienza ahora acariciando a tu amante y dándole un estupendo masaje en la espalda; si prefieres colocarte encima, esta vez colócate debajo; si siempre llegas al orgasmo el primero, que esta vez seas el segundo; si casi siempre eres el que inicia el sexo, permítele a tu amante elegir el lugar y el momento la próxima vez. Sentirás cierta reticencia ya que tus instintos te pedirán que sigas el viejo patrón de siempre, pero lucha contra ellos. Cambia el chip: absolutamente nada (ni la infidelidad, ni los niños) es más ruinoso para tu vida amorosa que hacerlo más o menos siempre igual o más o menos siempre en el mismo momento.

Otra idea más

Mira todos los objetos de la casa con renovado interés. Si es posible, incorpora alguno de ellos a tus relaciones sexuales, pero, ojo, con tranquilidad.

Los dos necesitáis lograr que el sexo sea diferente cada vez que lo practiquéis. Obviamente, no del todo diferente, pero sí un pequeño grado de diferencia respecto a la vez anterior o, todavía mejor, que la media docena de veces antes que esa. Hay cientos de formas distintas de estimular a tu pareja usando las manos y la boca, así que atrévete con ellas. O grita «no» si siempre gritas «sí». O toma un pañuelo suave y colócalo entre las piernas de tu pareja para después deslizarlo entre ellas. Cualquier cosa que le haga darse cuenta a tu pareja de que no tienes puesto el piloto automático.

Otra idea más

Consulta la IDEA 30, *Adopta la postura*, para descubrir algunas sugerencias sobre cómo mejorar las viejas posturas tradicionales.

Como reglas de oro:

1. Haz algo que no hayas hecho durante el último mes la próxima vez que hagas el amor.

2. No lo hagas en una posición concreta si puedes recordar con exactitud la última vez que lo hiciste de la misma forma.

La frase

«Es estupendo reírse en el dormitorio, siempre y cuando no te estén señalando con el dedo».

WILL DURST, CÓMICO

¿Cuál es tu duda?

P La primera y principal diferencia que me gustaría lograr es que mi esposa tomara la iniciativa. Pero si espero que ella inicie el acercamiento, esperaré para siempre. ¿Por qué sucede esto?

R *Primero deberías analizar tus propias respuestas. ¿Se ha acercado tu mujer alguna vez a besarte o a darte un abrazo o a sujetar tu mano cuando no te apetecía? ¿Qué hiciste entonces? ¿Te alejaste? Es un deseo frecuente en los hombres que su pareja tome la iniciativa pero lo que realmente quieren es que lo hagan justo cuando a ellos les apetece. En ningún caso, por supuesto, cuando ellos están viendo un partido, lo cual resultaría molesto. Y esa molestia es lo que tu esposa siente cuando te abalanzas sobre ella en el momento en que está haciendo la colada. Los hombres generalmente vuelven a intentarlo aunque les rechacen porque ya practicaron en la adolescencia y son muy voluntariosos a la hora de intentar y esperar que su pareja se ponga a tono. Las mujeres —mucho más sensibles— toman esa primera duda por tu parte como un rechazo en toda regla y se apartan. Y quizás hacen bien. Correspóndele cuando ella se muestre cariñosa, incluso aunque no veas ninguna oportunidad de que el fin de las caricias sea el sexo. Si te tiende la mano cuando estáis de compras puede ser el inicio de un juego preliminar que no acabe hasta después de la cena. Si pones todo tu esfuerzo y respondes a cada uno de sus signos de naturaleza afectiva, entonces tendrás que hablar con ella y explicarle que el hecho de tomar siempre la iniciativa te hace sentir como si la estuvieras molestando. Pídele que te sorprenda sólo una vez en el curso del mes siguiente. No la presiones y sigue hablando con ella de forma cuidadosa y abierta.*

P ¿Esto del Kaizen no es agotador?

R *Si te lo tomas como un juego, resulta muy divertido. Y más importante, te ayudará a centrarte en tu sensualidad y en cualquier momento que lo practiques afectará de forma positiva a la calidad de tu vida sexual.*

18

Tender puentes

¿Cómo puede una mujer llegar al orgasmo de la misma forma que un hombre?

Señoras, ¿si pudierais llegar al orgasmo con la misma facilidad que los hombres, no os gustaría practicar el sexo más a menudo? Señores, ¿si ellas llegaran al orgasmo tan fácilmente como vosotros, no sería más gratificante?

Por supuesto, resulta vital practicar un montón de preliminares. El sexo oral, evidentemente, es importante. Las cenas a la luz de las velas, las charlas interminables y el hecho de esforzarse el uno por el otro son factores críticos en una relación larga y sana.
Pero algunas veces es lunes por la noche, os habéis levantado temprano por la mañana, habéis tenido un día largo y duro y lo único que deseáis es la máxima satisfacción con el mínimo esfuerzo.

Como dice el Informe Hite —la más exhaustiva descripción disponible de la sexualidad femenina—, la gran mayoría de las mujeres necesitan estimulación clitoral ya sea con la mano o con un vibrador si quieren llegar al orgasmo durante la penetración. Todavía persiste el tópico de que todas deberían ser multiorgásmicas mediante la inserción del pene. Francamente, es propaganda barata. Introducir el pene en la vagina anatómicamente es lo mismo que estirar los testículos de un hombre. De vez en cuando, puedes hacer que el hombre llegue al orgasmo mediante este método —con cada tirón, moverías la piel de la parte final del pene con lo cual podrías lograr una estimulación suficiente—, pero chica, te llevaría un tiempo. Y en algunos hombres nunca funcionaría. La única esperanza para la gran mayoría de las mujeres es acostumbrarse a la estimulación clitoral durante la penetración.

Una buena idea

Contrae los músculos vaginales (musculatura PC) cuando te estés acercando al orgasmo. Esto te ayudará a llegar antes y también lo hará cuando se acabe la estimulación clitoral. En ocasiones, las contracciones pueden ser suficientes para que llegues al orgasmo sin estimulación clitoral. Y unas pocas palabras obscenas susurradas al oído tampoco te harán daño, te lo aseguro.

De acuerdo con el irresistiblemente directo Dr. Claire Hutchins: «Millones de mujeres disfrutan del orgasmo durante el coito utilizando la estimulación adicional del clítoris. La pregunta no debería ser: ¿Es esto incorrecto? ¿Puede arreglarse? La pregunta debería ser: ¿Por qué sigue siendo esta estúpida pregunta la primera que formulamos? ¿Por qué recurrir a todo tipo de trucos, desde velas aromáticas y baños de burbujas, análisis exhaustivos y terapia sexual para lograr el orgasmo de cualquier otra forma? Señoras, despierten. Si la idea de tocaros delante de vuestras parejas os atemoriza, debéis superarlo».

Bravo Hutchins. Sin embargo, los hombres y las mujeres insisten en que les gustaría llegar al orgasmo a través de la propia estimulación. Y hay una forma de lograrlo: puentear. Es lo que se conoce como construir un «puente» entre la estimulación clitoral y la vaginal. La maniobra del puente consiste simplemente en usar la estimulación clitoral —que necesitan la mayoría de las mujeres para llegar al orgasmo— para llevar a la mujer prácticamente hasta el orgasmo, dejarlo justo en ese momento y comenzar a penetrarla enseguida. Éste es un proceso de tres pasos que cualquiera puede aprender aunque requiere un poco de práctica. Personalmente, si llegas al paso dos y da buen resultado, me doy por satisfecha.

PASO 1: ADOPTAR LA POSTURA

Encontrad una postura que permita la máxima estimulación clitoral. Puede ser la del misionero o cualquier otra que os permita estimular el clítoris con la mano. La mejor es la reina de los orgasmos femeninos rápidos: te montas a horcajadas sobre tu pareja, abres los labios vaginales y te inclinas hacia delante de forma que tu clítoris friccione directamente contra su hueso pélvico; también puedes sentarte con la espalda derecha de forma que puedas masturbarte el clítoris mientras él te está penetrando.

Otra idea más

Si tienes problemas con tus fantasías a este respecto, consulta la IDEA 50, *Tiempo para soñar.*

PASO DOS: DEJA QUE TU CABEZA ENTRE EN EL JUEGO

Te encuentras encima (o debajo, o colgando del techo, o como te apetezca) moviéndote, tocándote. ¿Consigues llegar al orgasmo? ¿No? De acuerdo, es el momento de dejar que la fantasía entre en el juego. Mediante la fantasía, dejas de preocuparte por el movimiento de tu estómago, las tareas de los niños, de si tú o él os estáis aburriendo. Mediante la fantasía, te concentras sólo en el sexo. Mediante la fantasía, eres la estrella del show, el centro de atención y estás increíble. O como la humorista americana Nora Ephron dice: «En mi fantasía, nadie me hace el amor por la cabeza». Concéntrate en lograr el orgasmo. Olvida a tu chico si es necesario. No pares hasta que lo consigas, si quieres llegar al puente...

PASO 3: EL PUENTE

Llega casi hasta el orgasmo y cesa la estimulación clitoral. Tranquilízate recostándote sobre su cuerpo. Esto es en parte una cuestión mental. Cuando crees firmemente que vas a tener un orgasmo sólo a través de la penetración, es más probable que lo consigas.

La frase

Las mujeres no podemos modificar nuestra fisiología para que se acomode a lo que se espera de nosotras; por ello, adoptamos incontables estrategias para intentar reconciliar la realidad con las expectativas y eso incluye fingir los orgasmos. Pero, ¿quién sale perdiendo? Por supuesto, las mujeres, pero también los hombres. En vez de seguir fingiendo, debemos aceptar nuestro cuerpo y comportarnos de acuerdo con él.

D. Claire Hutchins, escritora americana

¿Cuál es tu duda?

P Lo he intentado pero todavía no funciona. ¿Alguna idea?

R *Mastúrbate más. Afinar tu respuesta sexual aprendiendo cómo alcanzar el orgasmo de la forma más efectiva posible a través de la masturbación es esencial para la mayoría de las mujeres que quieren llegar al orgasmo mediante la penetración. Si te masturbas hasta el orgasmo, planifícate. ¿Cuánto tiempo pasa desde que lo sientes cerca hasta que llega? ¿Entre dos y cuatro minutos? Bueno, esto es normal. Ésta es la media (también para los hombres). Si es más tiempo, continúa practicando hasta que estés en torno a los cuatro minutos. Después utiliza la técnica y experimenta con la técnica del puente. Lo siento si suena muy clínico y poco romántico. Es un poco competitivo y persigue el máximo rendimiento. Un poco como el sexo es para un hombre, de hecho. Y ése es justo el propósito: llegar al orgasmo de forma efectiva y eficiente cada una de las veces que practiques el sexo. Genial.*

P ¿Por qué es la masturbación tan importante? ¿No puede estimularme mi chico?

R *No, no se trata de que tu hombre te dé un masaje. Los estudios muestran que el porcentaje de mujeres que no llegan al orgasmo es cinco veces más alto entre las mujeres que no se masturban nunca que entre las que sí lo hacen. Esto significa que aproximadamente del 10 por ciento de las mujeres que nunca llegan al orgasmo, el 95 por ciento tampoco se han masturbado nunca y que las mujeres que se masturban llegan al orgasmo con más frecuencia junto a sus parejas. Podría seguir... Simplemente pruébalo.*

19

El problema de la sincronización

¿En busca de pareja? Elige a alguien con aproximadamente el mismo concepto del sexo que tú. Ah, perdona, crees que ya lo tienes.

Todas las relaciones pasan por etapas en las que a uno de los componentes de la pareja le apetece más el sexo que al otro. Tú estás agotada pero tu pareja tiene algo bastante obvio en la cabeza o viceversa.

¿TE SUENA?

«No me apetece tener sexo nunca»

Esto no significa que siempre vayas a temer el sexo o que nunca vayas a recuperar tu libido. Tampoco que algo vaya mal entre vosotros. Lo que es bastante más probable es que tus prioridades hayan cambiado y que tengas otras cosas en la cabeza (el trabajo, los niños, las preocupaciones económicas). O puede ser que para ti el sexo sea una demostración de cercanía y que te sientas algo distante de tu pareja: «Estás a kilómetros de distancia, pero él/ella todavía sigue queriendo practicar el sexo». Si eres una de esas personas que cuando estaba soltera necesitaba sentir una conexión para tener relaciones sexuales con alguien, ¿por qué ibas a cambiar eso en una relación de larga duración? Pero, como es bien sabido, en una relación larga no estás siempre mentalmente sintonizado a la perfección con tu pareja.

Una buena idea

La diferencia fundamental entre las parejas que practican muchísimo el sexo y las que casi no lo hacen es normalmente el sentido del juego. Jugad un strip poker. Jugad al Twister. Jugad a los médicos. Id al cine y sentaos en la fila de atrás. Haced cualquier cosa que signifique diversión y casi de manera inevitable recuperaréis la pasión.

Ya sea que te sientas distante o estresado, la solución es la misma. Recupera la cercanía. Habla con tu pareja y explícale cómo te sientes. Pasad algo de tiempo abrazándoos. Cread espacios dentro de vuestra vida donde podáis hacerlo. Apagad la tele y acurrucaos delante de la chimenea. Id a la cama una hora y media antes para «meteros bajo las mantas». Dedicad algo de tiempo a estar cerca física y emocionalmente y seguro que comenzáis a practicar el sexo con mayor frecuencia. Quizás al principio no sea precisamente genial, pero poco a poco deberíais alcanzar el punto en el que vuestras libidos estén en sintonía de nuevo.

«Mi pareja ya no me quiere»

¿Estás seguro de que lo que pasa realmente es que no quiere sexo al mismo tiempo que tú? Para mí resulta verdaderamente asombroso el número de hombres que afirman sentirse heridos o resentidos porque su mujer los rechaza repetidamente aunque se va a la cama a las nueve y media casi todas las noches. Después de un minucioso cuestionario, sale a la luz que ellos nunca han establecido la conexión mental entre el cansancio de su

Idea 19. El problema de la sincronización

esposa y el hecho de que mientras ellos están tumbados frente a la tele, ella está cocinando, preparando la ropa, cargando el lavaplatos u ordenando la casa después del barullo del día. Es imprescindible que estéis igualmente descansados para que vuestras libidos vuelvan a estar sincronizadas.

Otra idea más

El cansancio puede matar la pasión, así como pueden hacerlo los hijos. Echa un vistazo a la IDEA 44, *No todo está en tu cabeza*.

No agobies a tu pareja para tener sexo con penetración. Agóbiala para tener intimidad física. No tienes derecho a tener sexo siempre que quieras, pero en una relación amorosa sí se supone que tienes derecho a esperar consuelo físico y caricias. Y esto último hace que lo primero se vuelva mucho más probable. Incrementa la intimidad física, aumenta sólo un poco la frecuencia del sexo y espera a que la libido perdida de tu pareja vuelva. Con paciencia y (amorosa) perseverancia, puedes ayudarle a que la encuentre de nuevo.

La frase

«Estoy abierto a la guía de la sincronización y a no dejar que las expectativas entorpezcan mi camino».

DALAI LAMA

Mejor sexo

P   Me siento mal cuando practico el sexo y no disfruto. ¿Qué debería hacer?

R   *El consejo más básico es asegurarse de tener un orgasmo cada vez que hagas el amor y apostaría a que en este momento no sucede así. Mastúrbate después de que él llegue al orgasmo (deja la cama si te sientes incómoda, pero piensa por qué demonios deberías sentirte así), compra un vibrador o enseña a tu marido lo que debe hacer de forma cuidadosa. Sigue manteniendo relaciones, pero asegúrate de que siempre obtienes alguna recompensa. Es cierto que el sexo puede ser estupendo sin llegar al orgasmo pero esto debería ocurrir en la mínima parte de los casos, no en la mayoría de las ocasiones. De otra forma, evidentemente, te aburrirás y de forma natural comenzarás a albergar un cierto resentimiento hacia él.*

P   He intentado ser paciente. Nos besamos y achuchamos muchísimo. También estamos practicando un poco más el sexo, pero aunque ella piensa que es suficiente a mí me gustaría volver a lo que teníamos antes. ¿Cómo puedo revivir aquello?

R   *Ha llegado el momento de la honestidad. El momento del pensamiento creativo. La hora de crear nuevos recuerdos. Salid de viaje juntos. Quedaos en casa juntos. Recread vuestra relación desde el comienzo. Imaginad que tenéis vuestras primeras citas otra vez. Sé paciente. Si esto no funciona, buscad consejo profesional.*

20

¿Cuál es tu coeficiente amoroso (CA)?

Imagina que eres un cerebrito y que tu campo de investigación principal es tu amante. ¿Cuál sería tu coeficiente amoroso (CA)?

Es extraño. Diez años de relación y sabemos más sobre qué cosas emocionan a nuestro compañero de trabajo que a la persona que hemos elegido para compartir nuestras vidas.

Hace algunos años leí algo en uno de los libros de John Gray que me ha evitado mucho dolor. John Gray escribió *Los hombres son de Marte, las mujeres son de Venus* y lo que allí afirmaba —dirigido a los hombres— era simple: si tu pareja adora los bombones y lo ve como una prueba eterna de tu amor hacia ella, ¿por qué narices te empeñas en comprarle rosas? Sí, el mundo está lleno de hombres que compran ramos de rosas y que se preguntan por qué se las lanzan a la cabeza. La moraleja es simple: si tu pareja necesita chocolate para sentirse querida, dale chocolate. Es irrelevante que tú pienses que un ramo de rosas es más romántico. Tienes que darle a tu pareja lo que necesita o es mejor que no te molestes.

Comienza a buscar el rasgo «rosas en vez de chocolate» y comenzarás a ver por todas partes a gente que hace cosas por sus amantes que pasan desapercibidas. Me sorprendí bastante al descubrir que después de una riña de tipo «o lo haces o se acabó» con mi pareja, todo lo que tenía que hacer para calmarle era prepararle la cena. No sé por qué ocultas razones de su cabeza, lo que le hacía sentirse amado no eran los regalos de libros, ni de CD, prostitutas tailandesas o fines de semana fuera, que era mi primera idea. Durante mucho tiempo fue un desastre, ya que lo que funcionaba en mi caso cuando estaba enfadada eran las largas conversaciones y, por supuesto, las joyas. Bromas aparte, no me di cuenta de todo hasta que leí el libro de John Gray. Nuestro coeficiente amoroso era muy bajo. Pero ahora, cuando necesito ablandarlo un poco sólo tengo que pasar un buen chuletón por la parrilla. Y cuando es él el que me molesta a mí, aprieta los dientes y se prepara para desnudar su alma.

Una buena idea

¿Sientes que tu pareja no te escucha? Siéntate con ella y háblale con tranquilidad. Enfadarse o contestarle con el silencio son formas pasivo-agresivas de no llegar a ningún lado. Tienes que decírselo claramente.

Para explicarlo claramente, para amar con éxito a la persona con la que estamos, necesitamos entender qué necesita para sentirse amada. Para mantener su amor, debemos darle lo que necesita en la medida de lo posible. Si estás leyendo esto y preguntándote qué tiene que ver con el sexo, mi respuesta para ti es «¡Pues todo!». Cientos de parejas viven un sexo indiferente o no viven el sexo en absoluto no porque ya no se atraigan, si no porque no se han sentido amados por sus parejas durante años. El ejemplo más clásico es el del hombre exhibiendo una mueca angustiada porque ha hecho «algo» práctico por ella (como montar las estanterías, limpiar el coche, pagar las facturas) cuando todo lo que ella quería era que llamara a un canguro y la llevara a comer fuera.

Idea 20. ¿Cuál es tu coeficiente amoroso (CA)?

Cuando tu amante se siente inseguro, estresado o preocupado, ¿qué haces para que se sienta seguro y tranquilo? ¿Lo que haces funciona? Si no es así, ¿por qué se lo ocultas? ¿Por todos los Santos, es que te parece un juego? Quizás te parezca que funciona y puede que te haga sentir el miembro «superior» de la pareja, pero el precio es alto. Tu pareja no podrá confiar en ti y este tipo de confianza es esencial para mantener el sexo vivo cuando la emoción del principio se haya ido.

Otra idea más

Estar cerca físicamente en un sentido no sexual lleva de forma inevitable a estar más cerca emocionalmente hablando. Prueba la IDEA 1, *Practica la abstinencia.*

¿Qué preferiría tu pareja, una cena romántica o una noche salvaje en la ciudad como preludio a una noche de sexo? ¿Le darás gusto alguna vez incluso si a ti te apetece hacer alguna otra cosa?

¿Se siente tu pareja cercana a ti cuando os reís juntos o parece que está harta de ti? Si la respuesta es «harta», ¿le respondes de forma que parece satisfacerle o que le desilusiona? Si la respuesta es «desilusiona» plantéate cuándo fue la última vez que intentaste algo diferente para que os rierais juntos.

La frase

«El sexo es una conversación que se lleva a cabo con otros medios».

PETER UTINOV, CÓMICO

¿Cómo prefiere tu pareja solucionar una riña (que no tiene que ser necesariamente lo que tú utilizarías)?

Hay una serie de cuestiones de las que tienes que conocer la respuesta. Y tu pareja, por supuesto, debe saber lo que funciona contigo.

Emocionalmente necesitamos recibir los bombones al menos alguna vez o comenzaremos a alejarnos de nuestra pareja y a dejarnos tentar por alguien que parezca repartir chocolatinas a diestro y siniestro. Si estás con alguien al que los bombones le parecen la única muestra posible de amor, todas las rosas del mundo no servirán para arreglar vuestra relación, ni os ayudarán a tener un mejor sexo.

¿Cuál es tu duda?

P Estamos muy bien juntos sin tener que analizarnos el uno al otro con demasiada profundidad. ¿Por qué comenzar?

R *Estupendo. Espero que dure. Pero uno de los caminos que conducen a una relación aburrida es perder el contacto con la vida interior de tu pareja. Las parejas necesitan una meta común para no distanciarse. Incluso si odiáis analizaros el uno al otro (o lo más probable, uno de vosotros lo odia y se lo impone al otro), al menos una vez al año sentaros a analizar lo que queréis que ocurra durante los siguientes doce meses. ¿Qué os gustaría experimentar, visitar, conseguir? ¿Tenéis algún interés común que podáis desarrollar juntos?*

P Mi pareja no comparte nada conmigo. ¿Cómo puedo cambiar esta situación?

R *Cuando estáis distantes, un atajo para que todo vaya mejor es simplemente actuar como si vuestra relación fuera perfecta; por ejemplo, si tu amante nunca te escucha, háblale como si fuera la persona que mejor sabe escuchar del mundo; si nunca te muestra su afecto de forma física, sigue abrazándole. Parece cosa de locos, pero el cambio de lo negativo a lo positivo de alguna forma se irá filtrando en tu pareja al menos lo suficiente para que puedas pedirle que se comporte de forma más amorosa y también que te escuche cuando le hablas. Sigue pidiéndole que comparta más contigo, pero si no quiere puedes pedir asesoramiento psicológico o simplemente dejarlo y buscar algún compañero con la profundidad emocional que tú necesitas. Creo que a largo plazo también se convertiría en un infierno para tu relación sexual.*

21

Levanta el trasero

Siento el juego de palabras, pero la alternativa era «posaderas» así que puedes sentirte afortunado.

Hace sólo veinte años, el sexo anal era impactante e impronunciable, pero ahora puedes poner la tele y escuchar referencias a él de forma habitual. Pero aunque no se hable mucho de él, la entrada del trasero se ha utilizado, de hecho fue el primer método anticonceptivo.

Muchas parejas practican el sexo anal en los primeros y apasionados meses de su relación y luego se olvidan. Si lo has probado y tu actitud es «Estuve allí, lo hice y no se a qué viene tanto jaleo», quizás sea el momento de hacer otra visita. Puede añadir un estímulo definitivo a tus relaciones sexuales.

SI NO HAY RIESGO, PLANÉALO

Desde que has empezado a leer este libro, habéis tenido muchas oportunidades de ser ya una pareja «que comparte fluidos» como dicen los americanos; si no es así, quizás necesitéis practicar sexo seguro. Si vas a tocar el ano con la lengua, el dedo, un dildo o un vibrador nunca debes hacerlo sin haber limpiado todo meticulosamente antes. Esto no es ser crítico ni mucho menos, es sólo tener un poco de sentido común. Las bacterias, aun del ano más limpio, pueden producir una tremenda infección vaginal.

Una buena idea

Es necesario recordar que darse una ducha o un baño es siempre una buena idea antes de practicar sexo anal. Y córtate las uñas.

Violet Blue, una entrenadora sexual, tiene un buen truco en el caso de que odies interrumpir el sexo para estar seguro. Ponte unos guantes de goma o látex para los juegos anales y quítales después para la penetración vaginal.

¿POR QUÉ TANTOS HOMBRES TIENEN LA FANTASÍA DE HACERLO?

He preguntado a algunos hombres y aquí están algunas de sus respuestas:

- «Me hace sentir poderoso, que tengo el control».

- «Sólo acepta cuando se siente tremendamente excitada así que a veces me reto a mí mismo a excitarla tanto que muestre su deseo de hacerlo».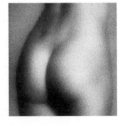

- «Te provoca sensaciones diferentes, te oprime más. Algunos de mis amigos dicen que no, pero a mí sí me ocurre».

Y no podemos olvidar el elemento homosexual que está latente, ¿verdad chicos?

¿QUÉ PASA CON LAS MUJERES?

El sexo anal les causa a los hombres una fricción contra la glándula prostática lo cual por lo visto es fantástico aunque no estoy muy cualificada para afirmarlo... Pero, ¿qué sucede con las mujeres? El área de la vulva responde al estiramiento y esa sensación de estar llena resulta terrible para la mayoría de las mujeres. Con el sexo anal sucede exactamente lo mismo. Lenguas, dedos, dildos pueden funcionar para ambos sexos porque hacen que los músculos orgásmicos se encuentren con una pared contra la que hacer presión.

Otra idea más

¿Te da vergüenza pedirlo? Consulta la IDEA 16, *Piensa diferente.*

Lubricación

Sólo es propio de las pelis porno que la saliva y otros fluidos corporales corriendo libremente proporcionen la lubricación suficiente para disfrutar realmente del sexo anal. Esto no quiere decir que no pueda suceder. Creo que ingerir medio vaso de tequila también resulta una estupenda lubricación. Lo cual me lleva hasta otro punto. No creo que quieras estar confuso/a cuando practiques sexo anal, ya sea por el alcohol o por esos lubricantes que venden en los sex shops que contienen ingredientes adormecedores bajo la errónea impresión de que es bueno para no sentir dolor. El dolor es una señal que te envía tu cuerpo para avisarte de que deberías desistir de lo que estás haciendo. El sexo anal no debería ser doloroso y si lo es debes detenerte e investigar qué es lo que estás haciendo mal.

Lametones

Las miles de terminaciones nerviosas que hay en el ano hacen que un buen uso de la lengua puede resultar casi tan placentero como el sexo oral. Si no logra producirte un orgasmo, puede llevarte al borde del mismo. Lo más común es hacer un círculo con la lengua alrededor de la abertura anal y después introducirla y sacarla; pero comienza con un buen lametón (lamer a lo largo de la abertura y por toda la zona provoca sensaciones geniales y le gusta a casi todo el mundo). A algunas personas les gusta que les den mordisquitos por toda la zona. Como siempre, no metas la lengua en ningún otro sitio hasta que te hayas enjuagado la boca.

La frase

«Si todo estuviera envuelto en una sensación de aprobación, se perdería gran parte de la diversión. Vamos a ir un poco más lejos. Degrádame, cariño».

SALLY TISDALE, ESCRITORA AMERICANA

Penetración

No intentes la penetración anal hasta que tu pareja este completa y verdaderamente excitada y hayáis utilizado toneladas de lubricante. Pon el dedo en el ano, haciendo presión.

Masajea la abertura y, para una primera aproximación, desliza el dedo lentamente hacia el interior. Mantenlo allí. Podrás sentir cómo el anillo de músculos que rodea al ano se tensa y se relaja. No muevas el dedo, sólo deja que los músculos trabajen. Cuando se relajen de nuevo, introducelo un poco más con suavidad.

Para las mujeres: los hombres pueden experimentar con un dedo en el ano y el pulgar en la vagina.

Para los hombres: las mujeres pueden estimular la próstata, pero sólo cuando él está completamente excitado. Podrás identificarla porque es como una protuberancia en la pared anterior del ano, a unos dos centímetros de distancia. Se hace más grande a medida que el hombre es mayor y se dice con frecuencia que es del tamaño de una nuez. Responde a la presión y a las caricias, no seas brusca ni ruda. Dependiendo del hombre, éste puede necesitar una caricia firme o una presión rítmica. Pídele que te diga lo que le gusta. Estimular la próstata al tiempo que usas la boca o la mano para masajearle el pene puede provocar (o eso dicen) un fantástico y profundo orgasmo.

Idea 21. Levanta el trasero

Una vez que lo hayas intentado con el dedo, puedes seguir con lo que te apetezca. Hay alguna broma sobre esto..., pero prefiero no pensar sobre ello demasiado. Si penetras con el pene o con un dildo, aplica todo lo explicado: ve despacio y con cuidado, a menos que tu amante te pida algo diferente, y penetra muy despacio.

¿Cuál es tu duda?

P Me gusta el sexo anal y me encanta realizar la penetración con distintos juguetes. Literalmente. ¿Es seguro, no?

R *Cuento entre mis amigos con muchos médicos y una de las conversaciones más comunes durante la sobremesa de comidas o cenas sociales es contar la gran variedad de curiosos objetos que han tenido que extraer de las posaderas de sus pacientes. Podrían escribir un libro sobre ello, pero te aseguro que no te gustaría que te mencionasen en él. Como regla general, no introduzcas en el ano nada que se pueda romper con facilidad y que no tenga una textura suave.*

P ¿Como qué?

R *Los juguetes anales proporcionan una tremenda sensación de «estar lleno» y provocan que durante el orgasmo las contracciones sean más intensas. Sostener un vibrador contra el ano produce unas sensaciones deliciosas. Hay unos pequeños vibradores que se pueden introducir ligeramente, pero hay que tener cuidado: la mayoría de los juguetes sexuales no se caracterizan por su perfecta manufactura. Así que es mejor no confiar plenamente en un aparato que está enchufado a la corriente eléctrica. Para los juegos anales, recomendamos mejor los consoladores lisos (que tanto se parecen a las balas de las armas de fuego)...*

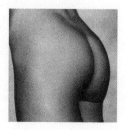

22

Confianza sexual

¿Qué es la confianza sexual y cómo se alcanza?

Si te sientes incómodo con el sexo, inseguro con tu cuerpo o simplemente preocupado por no ser lo suficientemente bueno, entonces es que necesitas adquirir el requisito de la confianza sexual para volver a disfrutar.

¿Cuál es el factor más importante que influye en que disfrutes de una excelente vida sexual? ¿Un cuerpo estupendo? ¿Un amante fabuloso? ¿Un cuerpo flexible? Si tienes todo esto, me alegro por ti. Incluso así, aunque no te falte ninguno de estos importantes elementos, tu vida sexual puede calificarse como más bien aburrida que completamente fantástica. Debes tener confianza sexual.

QUÉ PODRÍA FUNCIONAR

Aquí es cuando los principios feministas salen por la ventana. Si te sientes descontento con tu aspecto (ya seas hombre o mujer) es poco probable que tu vida sexual sea plena. Olvida todo lo demás: es hora de ponerse a dieta. Una gran pérdida de peso en una pareja de mucho tiempo puede levantar sospechas en tu compañero/a. Si tu pareja pesa toneladas y tu vida sexual es mucho menos que excitante, quizás debas comenzar por mejorar tus habilidades en la cama porque eso hará que su confianza sexual mejore y cuando esto ocurre, suele ir seguido de una mejora de la calidad de la vida sexual. Contigo o sin ti.

Por otra parte, si no tienes ganas de mantener relaciones sexuales, puedes preguntarte en qué cambiaría tu libido si pesaras cinco kilos menos. Si crees que realmente serviría de algo, comienza a hacer dieta. Una de las dietas más efectivas que ha salido en los últimos años es la del Dr. Arthur Agatston, conocida como la dieta de South Beach. Es sana y funciona.

Una buena idea

Trabaja en sentirte más sexual todos los días. Piensa en ti mismo como en una persona poderosamente sexual. Busca las oportunidades de hacer que tu vida sea más sensual. Coquetea.

Y aquí es donde bateo y rompo mi ticket de entrada al mundo feminista. Me encantaría escribir la bravata de que si crees que unos pechos más grandes/firmes/pequeños mejorarían tu vida sexual estás completamente loca. Pero no estoy segura de esto. Cuando era niña, me rompí los dientes en una ocasión en que me caí de la bicicleta. Hubiera dado lo que fuera por poder ponérmelos nuevos. Cuando llegué a la veintena, comencé a ser consciente de mi sonrisa y de mi forma de hablar y me sometí a un nuevo y caro tratamiento dental que me ayudó a recuperar la confianza en mí misma. ¿Tengo derecho a burlarme de aquellos que piensan que cambiar ciertas partes de sus cuerpos supondrá una diferencia en su confianza sexual? No. Pero cuidado. La meta es mejorar tu confianza sexual. Si es tu pareja la que quiere que te sometas a una operación de estética no ganarás en absoluto en confianza sexual. Si ya no os va tan bien como antes, dudo mucho que tener unos muslos más estilizados haga algo por vosotros. Esto son sólo pequeños detalles y es tu relación la que falla, ya sea debido a tu pareja o a ti. Gasta el dinero en algo más útil como una terapia o un curso de autoestima.

Finalmente, si eres un hombre, por favor no te gastes el dinero llamando a esos anuncios que salen en las revistas y prometen alargar tu pene.

Idea 22. Confianza sexual

Me gustaría decirte que las mujeres no se preocupan por el tamaño, pero no puedo porque sí que lo hacen. Pero sería extraño que una mujer rechazara a su amante porque el tamaño de su pene es menor que el de su anterior amante. Si tu pene es menor que el de la media (menos de 12,5 centímetros cuando está erecto), tendrás que ser más amable, más agradable, más imaginativo y más divertido en la cama que otros hombres. Ya sé que es injusto, pero la vida es injusta.

Algunos alargamientos de pene funcionan de forma temporal. Al parecer, existen actualmente dos operaciones que pueden aumentar tanto el grosor como la longitud del pene que sí funcionan. Pero también pueden causar problemas y si la cirugía para alargar el pene no da el resultado previsto, acabarás con el pene más pequeño de lo que lo tenías antes. Y no bromeo.

Otra idea más

Sentirse querido puede hacer maravillas en vuestra confianza sexual. Para descubrir algunas formas de lograr que tu pareja se sienta así, échale un vistazo a la IDEA 13, *Descubre el placer del tacto*.

ENTONCES, ¿QUÉ ES LO QUE FUNCIONA?

- **Cambia tu percepción**. Haz lo que puedas para sentirte lo más atractiva posible. Después comienza a decirte: «Estoy contenta», «Tengo un aspecto fantástico», «Estoy preciosa». Repite estas afirmaciones veinte veces al día.

- **Mírate en un espejo**. A medida que nos hacemos mayores o estamos más ocupados, comenzamos a fingir que nuestro cuerpo simplemente no está. Error. Compra un espejo de cuerpo completo. Mírate desnuda. Dedica tiempo a ponerte guapo/a. Deshazte de todo aquello que no te haga sentir estupenda y maravillosa. Si esto te deja con sólo tres cosas que ponerte, ¡qué le vamos a hacer!

- **Pasa desnudo tanto tiempo como puedas**. Así conocerás tu cuerpo y te pondrás en contacto con tu ser sexual.

■ **Dedica una hora a la semana a cuidar tu cuerpo.** Si el peso no es tu problema, comienza a hacer ejercicio o ve a un masajista o a un reflexólogo, cualquier cosa que te ayude a reconciliarte con esa cosa que necesitas para practicar el sexo: tu cuerpo.

La frase

«Si eres una de esas personas que no soportan verse desnudos en un espejo, necesitas habituarte a ello. Puedes comenzar a mirarte en ropa interior. O quizás debas comenzar con el abrigo e ir quitándote cosas poco a poco. La clave es... que tienes que sentirte a gusto en tu propia piel».

DR. PHILL MACGRAW, ESCRITOR DE LA REVISTA O

¿Cuál es tu duda?

P Necesito perder peso, pero no lo consigo. ¿Hay algo que pueda ayudarme?

R *Si fueras más delgado, ¿cómo te comportarías? ¿Qué harías? ¿Hacer ejercicio, comer sano, comprar ropa preciosa? De acuerdo. ¿Puedes empezar a hacer todo esto mañana? Un error muy frecuente entre los que desean ser más delgados es pensar en términos abstractos en vez de concretos y ser demasiado ambiciosos. Puedes comenzar a hacer ejercicio mañana, pero es muy improbable que aguantes una carrera alrededor del parque cuatro veces a la semana, que seguro que es la irreal meta que te has marcado. También es altamente improbable que vayas a dejar por completo el chocolate y los aperitivos, pero puedes proponerte comer fruta y verdura en todas las comidas. Puedes comprarte una prenda de ropa que sea bonita, incluso si es una talla grande; esto hará que te sientas mejor. Hazlo poco a poco hasta que te encuentres siguiendo el tipo de vida que quieres y eso significará que estás alcanzando tus metas.*

P Encuentro menos atractiva a mi pareja desde que ha engordado. Dice continuamente que va a hacer algo al respecto pero su intención dura como máximo dos días. ¿Estoy siendo poco razonable?

R *Tu actitud es justo la que no ayuda en absoluto. Los estudios muestran que a la gente les lleva varios intentos alcanzar el éxito cuando se hacen el propósito de perder peso, pero si perseveran, lo consiguen. Uno de los factores que ayudan es el apoyo incondicional y no agresivo de la familia. Y ésa eres tú.*

23

Lo que ves...

Hay un consenso general en que los hombres se excitan más fácilmente con la estimulación visual que las mujeres. Pero, ¿es cierto?

¿No puede ser que las mujeres, por fin libres para sentirse más sexuales, están comenzando ahora a conocer qué es lo que las excita visualmente?

La escritora J. K. Collins, que fue la promotora de la primera revista de porno ligero dirigida específicamente a las mujeres, escribió un interesante libro titulado *The Sex We Want* (El sexo que queremos). Una de las afirmaciones que hacía en él era que sabemos mucho sobre lo que los hombres encuentran estimulante, pero nada sobre lo que funciona en las mujeres.

Creo que esto se puede aplicar a la estimulación visual en particular. Cuando miran porno, incluso el porno más misógino, las mujeres se excitan sexualmente siguiendo exactamente el mismo mecanismo psicológico que los hombres; así por ejemplo, aumenta la presión sanguínea en sus órganos sexuales. ¿Cómo sería un porno que estuviera dirigido a excitar tanto a los hombres como a las mujeres? Mi teoría es que las mujeres pueden usar la estimulación sexual para excitarse de forma tan regular y tan eficiente como los hombres.

Durante una investigación en grupo sobre la sexualidad en mujeres jóvenes que dirigí para una editorial, una de las mujeres del grupo confesó que ella se excitaba cuando se imaginaba que era una *stripper* delante del espejo de su dormitorio. Realmente actuaba como una bailarina privada ya que admitía jovialmente que le daba mucha vergüenza hacer un *striptease* para su novio, pero que adoraba mirarse a sí misma mientras poco a poco se iba quitando prendas hasta quedar completamente desnuda.

Una buena idea

Ve a la librería más grande de tu ciudad y busca la sección de libros eróticos que han servido durante los dos últimos años para saber lo que gusta a las mujeres tanto en términos de calidad como de cantidad.

Me acordé de ella mientras leía este párrafo del *Informe Hite* en el que una mujer describe cómo se masturba: «A veces me visto con algo muy erótico y me miro en el espejo. A veces me fumo un cigarrillo o me maquillo. Si se da el caso, lubrico mis pechos y mis genitales con aceite o crema. Prefiero verme en el espejo en lugar de mirarme directamente a mí misma. Comienzo jugando con mis pechos...».

Otra mujer dice en el *Informe Hite*: «Mi mejor *momento rápido especial* es estar de pie con mi vibrador, de puntillas, totalmente en tensión... con la punta del vibrador presionando mi clítoris y agarrando el cuerpo del vibrador de forma que parezca un pene delante del espejo. Cuando miro mi imagen haciendo todo esto me excito en un minuto».

¿Qué resulta tan interesante del hecho de que todas estas mujeres se observen a sí mismas? ¿Buscan alguna otra cosa? Mi teoría es que si las mujeres quieren usar la idea de la estimulación visual, pueden hacerlo. Como J. K. Collins señala en su libro, el fallo de las revistas sexuales orientadas a las mujeres (incluyendo *For Women*, la suya) puede tener algo que ver con el hecho de que no muestran penes erectos (¿puede haber algo más ridículo?). Por ello, las mujeres pueden encontrar que las revistas homosexuales dirigidas al otro sexo pueden servirles a ellas. O pueden ser las miradas prohibidas a tu amante. O que él se disfrace de gladiador. Mira de forma activa esas imágenes que te excitan y utilízalas en tu fantasía y en tus relaciones sexuales para hacerte más vibrante sexualmente. La razón por la que creo que funciona es porque es una de las formas más fáciles y rápidas de mantener tu libido vivita y coleando y eso es algo que necesitamos en la medida de lo posible en una relación larga.

Otra idea más

Lee la IDEA 48, *Mira con otros ojos*, para encontrar otros métodos de explorar la estimulación visual.

Para ir a la cama, ponte ropa que te excite. Si te encanta la forma de tus pechos cuando te pones un Wonderbra, déjatelo puesto. Conozco a una mujer que se ponía su par favorito de zapatos rojos de tacón para ir a la cama. Para su amante esta costumbre no implicaba nada, pero ella solía acostarse con los pies hacia arriba, admirando lo que aquellos zapatos hacían por la longitud de sus piernas. ¡Quiérete!

Esto les resulta más sencillo a las mujeres debido al hecho de que el cuerpo femenino sexual está por todas partes (y también porque a las mujeres les resulta fácil observarse a sí mismas sin pestañear), pero los hombres no tienen con frecuencia la oportunidad de ser objetos sexuales. Así que ¿por qué no ser diferentes? Si realmente quieres hacer temblar su mundo, disfrázate de bombero una noche cualquiera. No tengo ni idea de por qué, pero será difícil que una mujer no aprecie este gesto.

Utiliza un espejo (colócalo de forma que puedas verte desde todos los ángulos). Después experimenta con la iluminación. Un fuego real (una vela) añade un crujido, otra visión a los procedimientos y puedes encontrarlo interesante. Además te será difícil quitarte de la cabeza tu imagen iluminada con velas y resulta menos amenazador y más halagador que una cámara de vídeo. Aunque, por supuesto, funcionan las dos con el mismo principio.

La frase

«El coito es como darle una patada en el trasero a la muerte mientras cantas una canción».

CHARLES BUKOWSKI, ESCRITOR

¿Cuál es tu duda?

P Ni los libros ni las películas me sirven. ¿Qué hago?

R *De acuerdo. Pero recuerda que los hombres dicen que las medias y los ligueros son sexy sólo porque están condicionados. Una amiga mía pasó meses poniéndose todo tipo de lencería sexy sin obtener ningún resultado. Cuando finalmente le preguntó a él qué era lo que más le gustaba (una idea radical, ya lo sé), él le respondió: «Uno de esos camisones de algodón blanco que te cubren desde el cuello y llegan al suelo como los de las abuelas, con botones en la parte de delante». ¿Quién lo habría imaginado? Quizás debas adoptar la actitud de un explorador sexual, visitando sin miedo nuevos territorios hasta que encuentres lo que realmente te excita.*

P ¿Alguna sugerencia para las mujeres a las que les gusta algo de ayuda visual?

R *Busca en Internet y en las librerías. También puedes probar a hacer tu propia peli porno (girando la cámara entre tú y tu amante). Revivir algunos de vuestros mejores momentos puede llevaros hasta el éxtasis.*

24

Sexo oral: 101 ideas

Piensa un poco la próxima vez que practiques sexo oral y él te lo agradecerá.

Un chico encuentra a una chica. Una chica encuentra a un chico. Florecen el amor y el respeto mutuos. Y muy pronto la cuestión de la felación asoma su, a veces, fea cabeza.

Seguro que sabes cómo se hace. Quizás fue una de las primeras cosas que aprendiste. Pero quizás te venga bien refrescar un poco tus conocimientos (y no me refiero sólo a un enjuague bucal de menta).

EL MENÚ BÁSICO

Cualquiera que sea tu técnica, es importante que te asegures de que incluye estos movimientos:

- Mover la lengua haciendo círculos, de manera muy firme, alrededor del borde de la cabeza del pene (si no está circuncidado, pero deberías hacerlo aunque lo esté).

- Masajea el perineo (el punto entre los testículos y el ano) mientras practicas sexo oral (utilizar un vibrador es una buena idea).

■ Después de años de estar juntos, seguro que has dado por supuesto que sabes lo que le provoca placer. Para la mayoría de los hombres, la forma más sencilla de hacerles pensar que les están haciendo una estupenda felación es que tú muestres que lo estás pasando genial, que te gusta hacerla. Así que ponle el mismo entusiasmo que pondrías al tomar el mejor helado de chocolate del mundo y si se te escapa algún gemido de placer, tanto mejor. También puedes murmurar o canturrear (algunas mujeres confían mucho en los murmullos ya que las vibraciones aumentan las sensaciones en el pene).

Una buena idea

Lee la IDEA 33, *Más sexo oral*, para obtener más sugerencias sobre cómo darle placer oral a tu chico.

EXTRAS

Añade algunas sensaciones para que él sea todavía más consciente de lo que está pasando allá abajo:

1. Utiliza un poco de enjuague bucal antes de empezar: la menta provoca un hormigueo que le hará centrarse más en el calor que desprende tu boca. La pasta de dientes proporciona una sensación aún más extrema.

La frase

«El sexo oral normalmente es muy satisfactorio. Incluso a veces se prefiere al normal. ¡Esto sucede porque es la única forma de mantener calladas a nuestras parejas!».

P. J. O'ROURKE

2. Muerde un limón.

3. Mantén un sorbo de vodka en la boca tanto tiempo como puedas. Cuando lo hagas la primera vez, ten cuidado, porque algunos chicos especialmente sensibles lo sienten como una quemazón.

Otra idea más

Consulta la IDEA 33, *Más sexo oral*, para encontrar más ideas sobre cómo practicar sexo oral a los hombres.

4. El té caliente (no hirviendo) usado de la misma forma puede sumergirlo en un cálido baño de sensaciones.

5. Un cubito de hielo en tu boca puede provocar sensaciones extremas a medida que se derrite. También puedes deslizarlo por el pene al mismo tiempo que mueves la boca arriba y abajo.

6. Si eres buena con la coordinación, prueba la sucesión del frío y el calor. Esto puede resultar una especie de hazaña, porque puedes mantenerlo en la tierra sexual prometida y mostrarte un tanto misteriosa; puedes taparle los ojos, besarle por todo el cuerpo, volverlo loco haciéndole creer que ya ha llegado el momento y entonces comenzar con la sucesión del calor y el frío. Si lo haces mezclándolo con algo de provocación puede resultar muy divertido para los dos.

La frase

«La felación es divertida, pero es un trabajo duro; es más, después de veinte minutos, pasa a ser sólo un duro trabajo».

EM Y LO, ESPECIALISTAS SEXUALES EN NERVE.COM

Mejor sexo

P   He probado tus sugerencias pero mi pareja es muy callado y no puedo averiguar si se siente cortado o si se está divirtiendo. ¿Cómo puedo saber la verdad?

R   *Debes dejarle claro de forma amable que el hecho de que esté callado mientras le estás practicando sexo oral no te ayuda. Unos gruñidos de satisfacción es lo menos que se puede esperar. Es de buena educación y recompensa tus esfuerzos. Pero incluso mejor que estos gemidos son las indicaciones claras. Quizás es en el sexo oral en el campo en el que somos más individualistas y particulares, probablemente más que en ninguna otra práctica. Una mujer a la que entrevisté me dijo que su marido prefería que ella utilizara sus dientes (¡y que apretara!) cuando le estaba practicando sexo oral. Esto no es lo habitual y lo que quiero decir no es que comiences a mordisquear el pene de tu amante (aunque a algunos hombres les encanta un poco de este tipo de roce). A donde quiero llegar es a que tú no lo podrás saber a menos que él te lo diga. Pero no le presiones cuando intentes averiguarlo. Funciona mucho mejor preguntar: «¿Te gusta así (demostración práctica) mejor que así (otra vez demostración)?». La mayoría de las veces la respuesta será «Cualquiera de las dos. Pero no pares». Pero en alguna ocasión puedes aprender algo útil.*

P   Me lleva muchísimo tiempo alcanzar el orgasmo. ¿Cuál es la mejor forma de llegar antes?

R   *Dale un respiro a ella y cambia el ritmo: usa tu mano para dirigirla o pídele que pase a la penetración o que utilice sus manos. Si lo que ocurre es que ella no te está dando la estimulación correcta, cambiad la técnica. ¿Te resulta difícil relajarte y disfrutar del sexo oral? Esto es muy común en las mujeres y no tiene por qué ser extraño en los hombres. A las mujeres les gusta practicar la felación y se excitan de verdad haciéndolo. Habla con tu pareja y recurrid a la fantasía para superar esa incapacidad para relajaros.*

25

Ponte el disfraz y no te lo quites

Hacer realidad las fantasías conlleva un poco de práctica, pero realmente puede iluminar una aburrida noche de sábado.

En primer lugar, metéos en la cama y decíos obscenidades el uno al otro. Leed algunos libros pornográficos (o cincuenta si es lo que os gusta). Compartid algunas situaciones que os exciten mentalmente. Hablad sobre las cosas que os gustaría decir o hacer.

Obviamente, el próximo paso es elegir una noche para representar vuestra fantasía, aunque a veces lo mejor es que suceda de forma espontánea porque así seréis menos conscientes de la situación. Incluso si la primera vez es un completo desastre y sólo tardáis dos minutos en echaros a reír, al menos habréis establecido un comienzo.

No es necesario que gastéis dinero en prendas especiales a menos que queráis hacerlo, porque podéis improvisar la ropa y las cosas necesarias. Otra vez tengo que recordar que ayuda que uno de vosotros (tendrá más sentido que sea el que ejerza el papel dominante durante la fantasía) tome el control de la organización y le explique al otro su papel.

Muchas personas encuentran que los disfraces son liberadores y que les ayudan a meterse en el papel. A otros les producen el efecto contrario, les inhiben, o incluso se sienten ridículos. Pero no los deseches tan rápido porque sí pueden servir de ayuda. Antes de darte cuenta, estarás yendo a la tienda de disfraces de tu localidad a por el traje de Peter Pan o a por el de monja.

Una buena idea

Descorchad una botella (o dos). Como en todos los juegos de fantasía, el alcohol ayuda a desinhibirse. Y mucho.

SEIS CLICHÉS (Y-ES-QUE-FUNCIONAN) DE FANTASÍAS SEXUALES

El médico y la enfermera

Es el final de un durísimo día de guardia. La enfermera (tú) parece exhausta. El médico la llama y le dice: «Pareces muy cansada. ¿Querrías hacerte un reconocimiento completo?». El médico prepara la camilla y le pide a la enfermera que se acueste. Después de un completo examen, el diagnóstico es «tensión nerviosa». Sin embargo, el médico está llevando a cabo una investigación sobre esta enfermedad, la cual presenta un poco de controversia en cuanto al tratamiento adecuado. Si la enfermera está dispuesta a participar en el experimento, el médico le demostrará la técnica...

El capataz y el esclavo

Uno de vosotros es el cruel capataz y el otro es el guapísimo esclavo/a. El capataz está decidiendo si lo compra o no y para ello tiene que examinarlo con mucho detenimiento. El esclavo está vestido con ropas desgastadas y se desnuda lentamente (o le ordenan que se desnude) para que el capataz pueda confirmar que se encuentra en buenas condiciones físicas, y eso implica que cada centímetro de su cuerpo se encuentre en buena forma.

Después, por supuesto, la habilidad del esclavo para seguir las órdenes y agradar al capataz será lo siguiente en someterse a examen...

El jefe y la entrevistada

La entrevistada llega a la oficina del jefe para ser entrevistada para el trabajo de su vida. La entrevista comienza de forma normal: la entrevistada está ansiosa por agradar y el jefe es gracioso. Sin embargo, cuando empiezan a discutir las condiciones del empleo algunas resultan un tanto inusuales. ¿Trabajar hasta tarde por la noche? ¿Tríos con el jefe de personal y el jefe? Finalmente, hay un examen de prueba y de cómo lo haga la entrevistada dependerá que consiga el trabajo o no...

Otra idea más

La IDEA 50, *Tiempo para soñar*, profundiza un poco más en la fantasía.

El marido y la au pair sueca

Él es una persona inocente y ella una au pair encantadora (puntos extra si consigue imitar el acento durante todo el juego). La esposa está fuera y él se está poniendo cómodo para ver el partido cuando ella le pregunta si puede unirse a él. ¿Son imaginaciones suyas o nunca la había visto con una falda tan corta? ¿Se está sentando más cerca de lo normal? Parece más coqueta, más descarada. Se cruzan entre ellos dobles significados y miradas intencionadas. Él intenta hacerse fuerte y resistir la tentación mientras ella intenta seducirle para que haga el primer movimiento. Hasta que al final pierde la paciencia y deja bien claras sus intenciones...

La frase

«Sería de muy mala educación obtener satisfacción sexual atando a alguien a la cama para luego dejarlo allí y salir con alguien más atractivo».

P. J. O'ROURKE

El fontanero y el ama de casa

Él llega a la casa listo para trabajar, pero ella insiste en que tomen una taza de café y en que charlen un poco. Mientras ella le enseña «su problema con las tuberías», toma una postura que le hace saber a él claramente que no lleva ropa interior…

La traviesa doncella y el «señor de la casa»

Se supone que ella debía estar limpiando la casa, pero cuando el «señor» llega la sorprende dándose placer. Se muestra furioso y la amenaza con despedirla. La pone entre la espada y la pared. Va a perder su trabajo. Tiene que pensar rápido en algo que le convenza a él de que despedirla no es tan buena idea después de todo…

Idea 25. Ponte el disfraz y no te lo quites

P Me gustaría representar algunas fantasías, pero no consigo evadirme de la realidad. ¿Cómo puedo lograrlo?

R *Actuar en un papel que está determinado con antelación ayuda a aligerar la presión, de forma que te puede ayudar copiar alguna escena de alguna película. Con esto conseguiréis mantener un diálogo fluido que será el que recordéis de la peli. Por ejemplo, cualquiera puede imitar un acento escocés o centro-europeo así que podéis jugar a ser James Bond y cualquiera de sus chicas. Si puedes convencerle de que se ponga un esmoquin, mucho mejor. Una pareja que conozco solían imitar a Jack Nicholson y a Jessica Lange en El cartero siempre llama dos veces. Les funcionaba como atajo para tener un poco de sexo salvaje y cuando a ella le apetecía, lo preparaba para que cuando él llegara a casa la encontrara vagando por la cocina, con una blusa apretada, unos tacones extremadamente altos y la pinta de haberse bebido media botella de bourbon. En palabras de él: «Ella me ayudaba mucho a meterme en el papel. No podía caminar en línea recta». Después de un ligero coqueteo, la tumbaba sobre la mesa de la cocina y le rompía la ropa.*

P Nuestra casa no se presta mucho a las fantasías. ¿Cómo podemos montar la escena?

R *La iluminación ayuda. Conseguid un interruptor de esos que pueden graduar la luz, unas velas o una lámpara de mesa (cualquier cosa vale para una fantasía). Pero, por favor, no estamos montando una producción para ganar el Óscar. Lo principal es librarse de cualquier intromisión que os distraiga, como los juguetes de los niños o las fotos de tu madre. Lo único esencial en cuanto al escenario es librarse de lo que ni la imaginación más activa podría nunca considerar sexy.*

26

Trabajos manuales

Lo que nunca te enseñaron en clase de arte...

Saber cómo excitar a tu pareja con la mano es una parte muy importante para disfrutar de una buena vida sexual y para los hombres se convierte en una habilidad esencial, ya que es la única forma de que algunas mujeres lleguen al orgasmo durante el coito.

Nuestra forma de conseguir el orgasmo llega a convertirse en un hábito, como tantas otras cosas. Todos tenemos una determinada forma de estimularnos para llegar al clímax y después (si tenemos suerte) nuestras parejas se acostumbran a imitarnos y ése es el tipo de estimulación que obtenemos de ellos. Terrible. Nadie dice que esté mal, pero hacer cambios y usar una técnica diferente puede enseñarte mucho sobre tu respuesta sexual y puede ayudarte a disfrutar de orgasmos más intensos. Al principio es algo frustrante (lleva un tiempo reeducarte) pero recuerda el principio tántrico: «Es el viaje lo importante, no la llegada». De esta forma conseguirás estar más cerca de tu pareja y aumentará vuestra capacidad orgásmica.

Experimenta las siguientes técnicas cuando te masturbes; cuando las manejes con destreza, comparte tus nuevos conocimientos con tu pareja. Recuerda, aunque seas un experto en esto de la estimulación, no cambies demasiado de técnica en una misma sesión, porque puede distraer a tu pareja, especialmente si lo haces cuando se está acercando al orgasmo.

Una buena idea

El exceso de trabajos manuales puede provocar una irritación, así que lubrica, lubrica y lubrica. Después, lubrica un poco más.

ES DIFERENTE PARA LAS CHICAS

- Cierra la mano en forma de puño. Colócalo en la parte superior de la vulva y muévete desde allí. Experimenta con la posición y la presión hasta que sepas qué es lo que funciona mejor. Ten cuidado, porque es muy sencillo arruinar la excitación por ser demasiado entusiasta; esto necesita mucha comunicación.

- Después de frotar el área del clítoris con los dedos, utilizar la palma de la mano completa proporcionará una intensa presión y un intenso orgasmo. Usar la base de la mano para estimular el clítoris mientras juegas con los dedos alrededor de la vagina, el perineo y los labios provoca fuertes contracciones, especialmente si con la otra mano presionas justo debajo del hueso púbico al mismo tiempo. Si le estás haciendo esto a tu pareja, es mejor adoptar posturas en las que puedes frotarte contra la base de la mano.

- La espoleta, también conocida como «da V», abarca la totalidad del clítoris y no sólo la pequeña protuberancia en la que solemos centrarnos, que es lo que se ve a simple vista. Desde el montículo del clítoris, alrededor de la vagina y a lo largo de ambos labios se extienden los brazos del clítoris. Masajea los brazos clitoriales y el clítoris con la V, manteniendo una presión constante en todas las partes. Llegar al orgasmo con esta técnica requiere algo de tiempo, pero lo cierto es que va creando tensión y le proporciona a la mujer un orgasmo más difuso pero cuya sensación abarca el cuerpo completo. Las parejas pueden usarla cuando practiquen posturas complicadas que dejen libre la zona de la cintura.

Idea 26. Trabajos manuales

- Introduce el dedo índice de una mano en la vagina y empuja con mucha suavidad (si te estás masturbando puede ser más fácil introducirlo desde detrás). Con el otro dedo frota el clítoris arriba y abajo. La sensación será fantástica.

Otra idea más

Señoras: para conseguir orgasmos explosivos, combinad los trabajos manuales con la IDEA 29, *Rutas sencillas para que ella llegue antes al orgasmo*.

SÓLO PARA HOMBRES

- Después de algunas caricias preliminares para calentar el asunto, sujeta el pene con una mano y sitúa la palma de la otra sobre la cabeza del mismo. Por cada movimiento de subida y bajada que hagas con una mano, mueve la otra con movimientos circulares sobre la cabeza. A medida que la mano baja, vuelve a hacer otro círculo. Las manos se unen en el movimiento de subida. Establece un ritmo.

- Agarra el pene con las dos manos de forma que éstas tengan los dedos entrelazados y muévelas arriba y abajo.

- Coloca ambas manos en forma de «pico». Utiliza una comenzando en la base del pene y moviéndola hacia arriba; al mismo tiempo, rodea con la otra los testículos y pellízcalos muy ligeramente. Relaja. Repite. Esto requiere un poco de práctica y no es suficiente para que la mayoría de los hombres lleguen al final pero es fantástico para aquellos a los que les gusta que jueguen con sus testículos.

- Esta técnica debes practicarla cuando él se esté acercando al orgasmo. Coloca las dos manos alrededor de la cabeza del pene y aprieta, mantén la posición un segundo, relaja y vuelve a apretar. Intenta adaptarte al ritmo que él marque y aumentará enormemente su orgasmo si lo haces mientras él eyacula.

La frase

«No digo nada mientras mantengo relaciones sexuales. Me han dicho que no lo haga. De hecho, me lo han dicho mientras las mantenía».

CHEVY CHASE

¿Cuál es tu duda?

P Mi pareja dice que soy demasiado brusco. ¿Algún consejo?

R *Caballeros: si no estáis seguros del grado de presión que tenéis que aplicar ni sobre qué ritmo adoptar cuando estáis masturbando a una mujer con la mano, como regla general es que calculéis vuestra fuerza habitual y la dividáis entre dos, y ésa será la presión adecuada; lo mismo se aplica a la velocidad del movimiento. Pídele ayuda a tu pareja. Anímala a que te lo diga si desea algo diferente. Al igual que con el sexo oral, si te agarra de la mano y la presiona puede ser una señal de que le gusta lo que estás haciendo y de que quiere una estimulación más fuerte y más rápida.*

P Llego al orgasmo cuando me masturbo, pero no cuando mi marido utiliza la mano para acariciarme, incluso aunque me parezca que lo está haciendo bien. ¿Qué es lo que va mal?

R *Puede ser que tengas un bloqueo mental por alguna razón. Utiliza la fantasía para superarlo. Estás formando parte de un experimento médico y los resultados salvarán a la humanidad. Eres una diosa y lo que más le agrada al sumo sacerdote es satisfacerte. El orgasmo es un juego mental, así que juega con tu mente.*

27

Dirección sur

Disfruta del viaje y llévala al éxtasis.

Se dice que si piensas que el clítoris es el centro de un reloj, la mayoría de las mujeres consiguen la mayor cantidad de placer entre las 10 y las 2 horas. ¿Quieres saber más? Entonces, sigue leyendo.

«Cuando mi amante comienza a practicarme el sexo oral, puede suceder cualquier cosa. Desde la primera suave caricia de una cálida lengua en mi clítoris hasta el estadillo del orgasmo cuando la boca caliente envuelve mi vulva, tengo todas las posibilidades del mundo entre mis piernas. Puedo ser quien quiera en el lugar donde quiera: una mujer a la que arrestan por exceso de velocidad tendida sobre el capó de su coche... Puedo jugar a que mi amante me viola, puedo ser una dominatrix o una atrevida colegiala. Puedo convertirme en la mujer más deseable para mi pareja en el momento en que su cara se encuentra agradablemente presionada por mis piernas en un acto de veneración que puedo interpretar como profano o como sagrado. Pero sea cuando sea, en el lugar que sea o de la forma que sea, soy consciente de que voy a tener una experiencia sexual que es a la vez íntima y tierna y que tendrá como consecuencia un enorme y fuerte orgasmo».

Así es cómo Violet Blue, una instructora sexual, comienza su libro *The Ultimate Guide to Cunnilingus* y he incluido la cita completa porque nos recuerda por qué el sexo oral es lo mejor. Garantiza el orgasmo a la mayoría de las mujeres la mayor parte de las veces. A las mujeres a las que les resulta difícil llegar, con esta práctica les parece mucho más sencillo.

Una buena idea

Otro consejo de Violet Blue: coloca las manos en forma de diamante y sitúalas sobre tus labios para facilitar el acceso de la boca de él. Hacer presión contra el puente formado por tus dedos te proporcionará ayuda cuando la necesites.

POSTURAS

Hay tres aspectos esenciales:

1. La mujer debe estar relajada y no preocuparse por tener una postura inestable, debe estar tumbada en la cama o sentada en el borde de un mesa.

2. El hombre también debería estar cómodo, ya que va a estar un rato en la misma postura. Si estáis en la cama, ella puede ponerse unos almohadones debajo del trasero. También puede tumbarse con las piernas justo en el borde de la cama y él arrodillarse en el suelo. Podéis utilizar la misma postura en una mesa, una silla, la encimera de la cocina, etc.

3. A algunas parejas les gusta la postura clásica servil para el sexo oral. Señores, vosotros sois los siervos en esta ocasión: ella está de pie y vosotros de rodillas delante. Pero esto puede dificultar el acceso para ellos y el orgasmo para ellas. Resulta un poco más sencillo si ella coloca una de las piernas sobre una mesa baja o una silla, pero lo más emocionante de esta variante no es la postura sino el elemento de dominación que conlleva.

La frase

«El porno es una forma pésima de aprender a realizar sexo oral a las muje-res: la mayoría de los cunnilingus que se ven en la pantalla parece que recrean la forma en que una ardilla lame un montoncito de mantequilla de cacahuete. Sin embargo, los vídeos educativos para adultos son de gran ayuda».

VIOLET BLUE, INSTRUCTORA SEXUAL

Nota para los hombres: el 69 es divertido y es la postura tradicional de «sentarse en la cara». Esto es fantástico visualmente —que es por lo que es tan popular en las películas porno— y al mismo tiempo es excitante y/o relajante para vosotros. Pero a modo de información, pocas mujeres llegan al orgasmo con este método porque tienden a concentrarse en el orgasmo de su pareja y no en el suyo propio. Experimentad todas las posturas que deseéis dentro de este tipo de juego —a ella le gustará— pero cuando realmente te propongas proporcionarle un orgasmo a tu chica, no esperes más de ella que se tumbe y disfrute de lo que le estás haciendo.

Otra idea más

Lee algo más sobre el cunnilingus en la IDEA 32, *Vamos más hacia el sur.*

COSAS QUE FUNCIONAN SIEMPRE

Tómate tu tiempo. Comienza donde te apetezca y chupa, besa, mordisquea, presiona fuerte, presiona suave o sopla (pero nunca dentro de la vagina, ¡hay una posibilidad entre un millón de que le provoques una embolia!). Trabaja en dirección al clítoris, a ambos lados del mismo, pero no lo toques directamente hasta que sus caderas se retuerzan y ella te lleve en esa direc-ción. Practica un gran lametón, como si te estuvieras comiendo un helado; esto consigue que haya mucha lubricación ahí abajo y la mayoría de las mujeres prefieren con mucho que les laman toda la zona a que se concen-tren en un único punto.

Recuerda que para un gran número de mujeres el clítoris resulta demasiado sensible para que se lo estimulen directamente y es por este motivo por lo que chupar y lamer en todas direcciones da tan buen resultado.

¿Cuál es tu duda?

P A mi mujer no parece entusiasmarle demasiado el cunnilingus. ¿Cómo puedo persuadirla?

R *Normalmente te diría que no presiones a tu mujer para que haga algo que no le gusta, pero en el caso del sexo oral está tan rodeado de prejuicios y sentimientos de culpabilidad que a muchas mujeres les resulta difícil el simple hecho de tumbarse y disfrutar; necesitan algo de entrenamiento para convencerse de que no tiene nada de malo. Si te muestras reacio a practicarle el sexo oral a ella, quizás es por eso que ella no muestra entusiasmo. Dejar a un hombre que haga una cosa tan personal y privada para ellas, hace que las mujeres se sientan muy vulnerables. Sería una total pérdida de tiempo si la mujer está tensa y nerviosa porque no existe ni una sola posibilidad de que llegue al orgasmo en esta situación, por lo que no tiene sentido molestarse en intentarlo. Quizás a ella le preocupa que puede tardar siglos en llegar al orgasmo. Déjale claro que a ti no te importa dedicarle todo el tiempo que sea necesario. Si llega al orgasmo, estupendo. Si no lo hace, ya habrá otra oportunidad. Si yo fuera tú, no le dedicaría un tiempo excesivo, no porque te comportes de forma egoísta sino porque ella se sentirá menos presionada si dejas claro que es sólo una parte más de los preliminares, sin mayor ni menor importancia que las demás. Practícale sexo oral con frecuencia de forma que se haga a la idea de que a ti te gusta y así desaparezca la reticencia que siente poco a poco. Con el tiempo, ella conseguirá relajarse y comenzar a disfrutar.*

P No me gusta practicarle el sexo oral. ¿Por qué debería hacerlo?

R *Bueno, si tu pareja ya disfruta de orgasmos estupendos y a ella no le importa no hay ningún problema. Pero el sexo oral constituye una magnífica experiencia para la mayoría de las mujeres y no está bien privar a la tuya de la misma. Recuerda que una cantidad significativa de mujeres sólo alcanzan el orgasmo de esta forma y que la sensación que se experimenta es única (cuando una lengua te provoca un orgasmo, ya sabes). Las mujeres se sienten tan felices con la persona que les proporciona un orgasmo a través del sexo oral que es importante que al menos te replantees tu punto de vista. Si te niegas continuamente a practicarlo sólo obtendrás puntos negativos.*

28

Atajos para un mejor orgasmo

**Vamos a echar un vistazo a los músculos
pubococcígeos (PC).**

*El orgasmo depende de la contracción rítmica de los músculos. Entrenando estos múscu-
los conseguirás tener mejores orgasmos.*

Si eres mujer, especialmente si has tenido hijos, estarás cansada de oír hablar
sobre los músculos pubococcígeos (PC). Éstos son los músculos que hacen
la mayoría del esfuerzo durante el embarazo y durante el parto y es por
ello por lo que las comadronas y los médicos enfatizan la importancia de
ejercitarlos en cualquier momento que puedas porque sin los músculos
PC, para decirlo francamente, necesitarás pañales aún más tiempo que tu
bebé. Hay que quitarse el sombrero ante el doctor Arnold Kegel, que fue
el que primero recomendó estos ejercicios para ayudar a controlar la vejiga
después del parto. Pero no puedo evitar pensar que si los médicos nos
dijeran también lo mucho que los ejercicios Kegel pueden mejorar nuestra
vida sexual (para ambos sexos), muchos más los practicaríamos.

Tensar y relajar estos músculos aumenta el flujo sanguíneo en los
genitales y cuando les prestas atención a tus genitales tu vida sexual tiende a
mejorar. Pero aún hay más. Éstos son los músculos que se contraen durante
el orgasmo. Cuanto más fuertes estén, mejor será la contracción y mayor el
placer que sientas.

En el caso de los hombres, reforzar vuestros músculos PC puede ayudaros a experimentar orgasmos múltiples. Si tienes los músculos PC fuertes, puedes parar al borde de la eyaculación y experimentar un orgasmo sin eyacular, con lo que conseguirás hacer el amor durante más tiempo. El hecho de ejercitar tus músculos PC te proporcionará mejores orgasmos y ésta es una Cosa Genial para aquellos hombres cuyos orgasmos con frecuencia están desacompasados con los de su pareja.

Una buena idea

¿Necesitas algo de motivación para hacer tus Kegel? Pues debes saber que notarás los beneficios en sólo dos semanas. Y a las seis semanas, deberías sentir la diferencia en tu vida sexual. Así que apriétalos.

ENCONTRAR LOS MÚSCULOS PC

La próxima vez que hagas pis, para el flujo de la orina en mitad del proceso. Los músculos que se utilizan para hacerlo son los músculos PC. Asegúrate de que los diferencias de aquellos que rodean el ano.

TU PROGRAMA DE EJERCICIOS

Simplemente, contrae tus músculos PC cada vez que te acuerdes, diez veces con una duración de un par de segundos cada una. No lo hagas demasiadas veces ni los fuerces demasiado. Tu objetivo es una contracción firme y relajada.

Una vez que tengas el truquillo, cambia y contrae doce veces con una velocidad normal y otras doce a una velocidad más rápida. Hazlo dos veces al día (o más si te acuerdas) durante el resto de tu vida. Si realmente te parece una buena idea, proponte hacer cien Kegels cada día.

Otra idea más

Cuando practiques el sexo, combina los ejercicios Kegel con las técnicas que se explican en la IDEA 29, *Rutas sencillas para que ella llegue antes al orgasmo*.

EJERCICIOS AVANZADOS

Además de los Kegel estándar, intenta éstos:

- **El ascensor:** imagina que tu vagina tiene dentro un ascensor y que vas a hacer que suba usando tus músculos Kegel. Lleva el ascensor al primer piso, para, llévalo al segundo piso, para, al tercero, para, al piso superior y para. Después deja que el ascensor baje de nuevo. Practica y practica, subiendo tan rápido como puedas y bajando tan lento como te sea posible.

- **Inclinación de la pelvis:** combina los ejercicios Kegel con inclinaciones de la pelvis, así fortalecerás los músculos de la pelvis y de la espalda y podrás empujar mejor y durante más tiempo. Túmbate en el suelo con las rodillas dobladas y los pies bien apoyados. Contrae el estómago y levanta la pelvis, manteniendo la columna en el suelo. Contrae los músculos PC mientras haces todo esto, aguanta un par de segundos y después vuelve a la posición inicial. Haz veinte repeticiones al día.

La frase

«Es más sencillo mantener a media docena de amantes interesados que mantener a uno solo cuando éste ha dejado de tener interés».

HELEN ROWLAND, PERIODISTA AMERICANA

¿Cuál es tu duda?

P   Estos ejercicios me resultan insuficientes. Desde que tuve a mis hijos, sólo puedo sentir un suave tirón cuando contraigo mis PC. ¿Hay algo más que pueda hacer?

R   *Entonces probablemente tus orgasmos sean mucho más débiles también. Pero puedes recuperar la fuerza de nuevo. Probablemente es importante que hagas un plan y dediques un tiempo específico cada día a hacer tus ejercicios. Recuerda que no sólo se beneficiará tu vida sexual. Después de la menopausia, los cambios hormonales hacen que tus músculos PC se debiliten todavía más por lo que si actúas ahora después lo agradecerás. Será más fácil si tienes algo que apretar cuando haces los ejercicios como un consolador, un dedo o una zanahoria. O puedes ser un poco más científica y utilizar un ejercitador del suelo pélvico que puedes conseguir en una farmacia o a través de Internet. Así tendrás una idea de cómo de débiles están tus músculos ahora y serás capaz de medir tus progresos a medida que mejores. Y mejorarás.*

P   ¿De qué forma exactamente consiguen los músculos PC detener la eyaculación?

R   *Cuando sientas que tus músculos PC están fuertes, intenta contraerlos mientras te masturbas en el momento justo antes de tener el orgasmo. Esto parará la eyaculación, pero todavía deberías sentir placer. La clave está en que seas capaz de seguir después de una breve pausa. Al leer esto, quizá suene como si estuviera hablando de un deporte competitivo (machos compitiendo para ver quién dura más, ser un «maestro del control», etc.). Este tipo de cosas me preocupa. Pero el tiempo que dediques a aprender más sobre tu respuesta sexual nunca será tiempo perdido y además puedes tener la posibilidad de experimentar orgasmos múltiples y ¿a quién no le gustaría? Pero todo esto no te convertirá necesariamente en un mejor amante. Sólo a modo de información, la medicina oriental recomienda que los hombres sólo eyaculen una de cada tres veces que tengan relaciones sexuales, pero esa vez el orgasmo será mucho más intenso, mucho mejor y más emocionante, o al menos, eso dicen.*

29

Rutas sencillas para que ella llegue antes al orgasmo

¿Más rápido, más fácil, más intenso? Cómo llegar de forma más sencilla.

El hecho de cambiar tu forma habitual de hacer el amor puede mejorar tu vida sexual con un mínimo esfuerzo. Podríamos haber llamado éste capítulo «Cómo conseguir un orgasmo simultáneo», pero siempre hemos pensado que esto está un poco sobrevalorado. Pero bueno, si insistes…

APRETAR

Cuando tienes un orgasmo, los músculos pubococcígeos (PC) de la vagina se contraen rápidamente. Tensa los músculos cuando él salga y relájalos cuando entre. Esto exige un poco de práctica pero es una recomendación de la reina del orgasmo femenino, Betty Dodson, que a través de sus talleres y de sus libros ha enseñado a miles de mujeres a llegar al orgasmo y a mejorar la calidad del mismo. La tensión hará que tus contracciones orgásmicas se disparen.

PRESIONAR

Una presión descendente en el área púbica antes del orgasmo puede aumentar la intensidad de la estimulación. Experimenta presionando hacia abajo con la mano desde el estómago hasta el hueso púbico mientras te masturbas o mientras usas un vibrador. Después inténtalo durante el coito.

Otra técnica posible es la de «abalanzarse». Consiste en empujar hacia fuera con los músculos PC, lo cual hace que el punto G se desplace hacia un lugar más cercano a la abertura vaginal y así conseguirás una estimulación indirecta del pene sobre él.

Una buena idea

Para aumentar las oportunidades de tener un orgasmo simultáneo, deja que tu pareja sepa cuál es tu grado de excitación y pídele que él también te lo diga. Si deseas minimizar este tipo de charla, puedes susurrar un número a tu pareja para hacerle saber de manera exacta en qué punto de una escala del 1 al 10 te encuentras. Él puede hacer lo mismo.

ESTIRAR

Estirar las piernas sobre la cama y colocarlas juntas mientras estáis en la postura del misionero aumentará tu estimulación clitoral. Funciona incluso mejor cuando tú estás encima. Desliza los muslos de forma que queden sobre los muslos de él en lugar de sobre sus caderas. Arquea la espalda todo lo que puedas. Al formar un arco estarás aumentando al máximo la presión en el área clitoral.

Sólo debes tener cuidado para que el pene no se curve demasiado debido a la postura y se haga daño; tú eres la que tienes todo el control y por mostrarse como un caballero puede que no se atreva a interrumpir tu evidente placer para avisarte ¡de que estás a punto de partírselo por la mitad!

También es importante experimentar con otras posturas en las que tú estés encima y abraces sus pies con los tuyos. Éstas tienden a aumentar la estimulación clitoral.

Otra idea más

Lee sobre la postura CAT en la IDEA 5, *Únete al 30%*. Mejorará la estimulación clitoral.

DESCOLGAR

Deja que tu cabeza cuelgue del borde de la cama cuando estés haciendo el amor. La acumulación de sangre en el cerebro hace que las sensaciones sean más intensas.

La frase

«El hecho de no darse algunas instrucciones el uno al otro puede dejar a las parejas insatisfechas y frustradas. ¿No eres muy hablador en la cama? Estas cuatro expresiones te servirán de maravilla: *más rápido, más lento, más fuerte y más suave*».

JUDY DUTTON, COLABORADORA DE LA REVISTA *SHE*

Mejor sexo

¿Cuál es tu duda?

P   ¿Cómo podemos lograr estar sincronizados? Lo hagamos como lo hagamos me lleva siglos llegar al orgasmo. A menos que él me masturbe primero, él siempre llega antes.

R   *¡Eh, no te rindas! Inténtalo con un vibrador. Es la manera más fácil de sincronizar los orgasmos. Pero si no te gusta esta idea o lo que necesitas es más variedad puedes probar algunos trucos mentales. El primero es liberarte de la presión del momento: obsesionarte con tener un orgasmo es la forma más segura de no conseguirlo. En el momento en que el pensamiento «Señor, estoy tardando siglos» se te pase por la cabeza, desconecta inmediatamente y comienza a vivir el momento. Vuelve a centrarte en tu cuerpo y concéntrate en las sensaciones y en disfrutar del placer.*

P   ¿Por qué a las mujeres les lleva tanto tiempo?

R   *No les lleva tanto tiempo. Se estima que durante el coito al hombre le lleva 11 minutos llegar al orgasmo y a la mujer 28. (¿¿Cómo pueden saber esto?!). Pero dejemos una cosa bien clara. Cuando se masturba, la mujer alcanza el orgasmo tan rápido como el hombre. Entonces, ¿por qué le lleva tanto tiempo durante el coito? Mi teoría es que los hombres están más acelerados mentalmente que las mujeres desde antes de iniciar la relación sexual. El orgasmo de la mujer llegará más rápido si está más excitada antes de comenzar... Dejando de lado la ironía, no esperes tener un orgasmo tremendo en cinco minutos. Mientras tu chico esté todavía viendo las noticias, comienza a calentarte. Crea tu propio ritual de 20 minutos que sirva para separar tu día de trabajo del tiempo que le dedicas a tu pareja. Toma una ducha o un baño con productos aromáticos de olores dulces y con velas suaves, vístete con un camisón sensual o lee un libro erótico. Esto puede reducir notablemente la rapidez con la que llegues al orgasmo.*

30

Adopta la postura

…pero ponle un poco de salsa.

Os prometimos que no habría ni una sola ilustración de hombres musculosos haciendo lo que a los hombres musculosos les gusta hacer. Y vamos a mantener nuestra promesa.

Los libros de posturas siempre me han sorprendido porque me da la impresión de que están dirigidos a esos tipos raros y un tanto pedantes que hay entre nosotros a los que les gusta tener un listado de todas las posiciones conocidas y un estupendo lápiz bien afilado para marcarlas. Lo que generalmente no es muy conocido es que el *Kamasutra* se escribió pensando en una elite (masculina) de la alta sociedad india que no tenía nada más que hacer en todo el día que pensar en formas de solazarse con su harén. Intentar las posturas del *Kamasutra* no va a mejorar vuestras marcas personales de "pareja demasiado ocupada para pararse a tomar aliento".

Como todos nosotros, personas normalitas, sabemos, para mantener la excitación en nuestras vidas sexuales necesitamos algo más que una sucesión de «posturas de contorsionista».

Básicamente, hay sólo cuatro o cinco posturas (no, no me he tomado la molestia de contarlas todas) y todo lo demás son sólo variaciones sobre las mismas. Sin embargo, la mayoría de las parejas tienen sus dos o tres preferidas y son las que practican siempre porque les funcionan. Algunas modificaciones muy sencillas pueden mejorarlas bastante. A continuación encontrarás un resumen y algunas ideas para mejorar lo que ya es bueno de por sí.

TRES FORMAS DE HACER
QUE ALGO BUENO SEA AÚN MEJOR

Mejorar... el misionero

Una estupenda postura, aunque algo calumniada... Existen dos problemas potenciales:

1. La mayoría de las mujeres no llegan al orgasmo con esta postura, ni siquiera aunque practique durante tres horas. No, a menos que la estimulación clitoral entre en juego.

2. Él tiene que hacer mucho esfuerzo... ejem... muchísimo esfuerzo.

Una buena idea

La más sencilla pero muy efectiva modificación de la postura del misionero es una técnica que proviene directamente del antiguo Oriente: ella se coloca una pila de almohadas o cojines debajo de sus caderas para elevar la pelvis, lo cual aumenta la estimulación clitoral.

En fin, aquí tenéis una alternativa para cuando los dos queréis estar debajo. Ella se tumba con la pierna izquierda apoyada sobre la cama y la derecha doblada por la rodilla; puede apoyarse en los codos o utilizar cojines para elevarse. Él se recostará en ángulo recto sobre su parte izquierda, sujetándose con el brazo izquierdo mientras coloca la pierna izquierda debajo del muslo izquierdo de ella de forma que la pelvis de ella esté suficientemente elevada como para permitir la penetración. Ella engancha la pierna derecha sobre el tórax de él. Todo esto resultará en una especie de tijeras abiertas enganchadas entre sí, lo que permitirá a ambos un acceso libre al clítoris y que ambos puedan mirarse directamente a los ojos durante el proceso, aunque estén demasiado lejos como para besarse. El movimiento está un poco limitado, pero es una buena postura para cuando os sintáis un poco perezosos y ¡es genial si tenéis resaca!

Mejorar... cuando ella está encima

Esta es una postura muy popular entre las mujeres. También es popular entre los hombres por lo que implica. Aquí tenéis algunas sugerencias.

Ella se coloca sobre él de cuclillas y después se gira suavemente de forma que quede mirando hacia los pies de él. Quizás tenga que inclinarse un poco hacia delante y utilizar los tobillos y pantorrillas para mantenerlo dentro. Aunque él no puede ver sus pechos obtiene a cambio una magnífica vista de su trasero. Además, si ella se levanta ligeramente entre cada movimiento, él estará encantado con la visión de su pene entrando en ella; ésta es probablemente la forma en que se puede obtener una visión más cercana de la penetración a la manera de las pelis porno. Y quizás ésta sea la razón por la que ésta fue la postura que a los hombres les gustaría probar más votada en una encuesta de *Cosmopolitan*. Por añadidura, si ella realiza movimientos en zigzag, conseguirá una estupenda estimulación en el área del punto G, además de que pocas posturas le darán tanta libertad a su imaginación.

Otra idea más

Puede ser que te muestres un poco reticente respecto a la importancia de variar las posturas. Si quieres saber más sobre este tema, compra algún libro repleto de exóticas formas de hacer el amor y combínalo con la IDEA 17, *Aprende el arte del Kaizen*.

Mejorar... el 69

Es muy divertido en teoría, pero a medida que se acerca el orgasmo resulta más difícil concentrarse en darle placer al otro. Uno de los miembros de la pareja pierde la concentración y puff, el asunto terminó para el otro, que es una de las razones por las que las parejas dejan de practicar el 69 nada más terminar su luna de miel. Recuerda, es más sencillo si te recuestas de lado y usas como apoyo el muslo de tu pareja. También podéis ir pasándoos un vibrador de forma que si uno de los dos se va aproximando al orgasmo, él o ella pueden dejar de utilizar la lengua y estimular al otro con el vibrador de forma que se mantenga estimulado mientras tú llegas al orgasmo.

La frase

«Una vez le pusieron mi nombre a una rosa y me sentí muy halagada. Pero no me gustó tanto leer la descripción de la misma en un catálogo: no es apropiada para colocarla sobre la cama pero sí estupenda para colocarla contra un muro».

ELEANOR ROOSEVELT

¿Cuál es tu duda?

P Me gustan las posturas de pie pero desde que mi marido tiene problemas de espalda me da miedo sugerirlas. ¿Alguna idea?

R *Puedes ponerte un par de tacones bien altos y reclinarte sobre la pared. Así él casi no tendrá que moverse. Además estarás fantástica. (Si colocas las manos contra la pared para ayudarte, esta postura a veces toma el nombre de «la striper», por razones obvias. Dejo a tu imaginación los roles que podéis adoptar cuando la practiquéis). En general, en las posturas de pie ayuda la entrada desde atrás. La forma más sencilla es que tú te inclines hacia delante y te apoyes en el suelo o en una silla o mesa baja. Tienes que ser bastante flexible y, además, resulta más fácil practicarla en el baño porque tienes los bordes de la bañera para apoyarte. Sólo ten cuidado de no resbalar o tendrás algo más de qué preocuparte además de su espalda.*

P En algunas posturas, siento dolor cuando mi pareja me penetra. ¿Por qué me sucede esto?

R *Puede estar golpeando contra tu cerviz. Norma general: cuanto más cerca estén tus pies de tus orejas, más profunda será la penetración. Las posturas en las que la penetración se hace desde atrás también conllevan una penetración profunda (y es por eso por lo que les gustan a nuestros chicos menos dotados). Si bajas tus muslos durante las posturas tipo misionero, podrás controlar la profundidad de cada entrada. De forma similar, si te gusta que te penetre desde atrás, podéis intentar las posturas tipo cuchara en las que estáis echados uno junto al otro con él detrás ya que con éstas también controlas el nivel de penetración. Es importante saber que si el dolor durante el sexo continúa, debes consultarlo con tu médico.*

31

¿Sumisión o sometimiento?

O para aquellos de vosotros que prefieren los acrónimos: B&D, bondage (esclavitud) y disciplina mejor que sexo duro, S&M (sadismo y masoquismo).

Si tu rutina del sábado por la noche incluye que te azoten en un escenario delante de un grupo de extraños, puedes saltarte esta idea porque no creo que pueda aportarte nada nuevo. Este capítulo está dirigido a aquellos que nunca han probado el B&D.

¿CUÁL ES EL OBJETIVO?

Lo que me gusta de los espacios dedicados al sexo duro —aquellos en lo cuales dispones de horarios y en los que te ofrecen kits de diversas actividades— es que no tienes que pensar. Sólo tienes que hacer lo que te dicen. Esto es lo que el miembro sumiso de la pareja consigue en los juegos B&D. Renunciando al control, se consigue un amplio margen para la libertad.

Respecto al miembro de la pareja que domina, ¿a quién no le gusta este rol? Hace exactamente lo que quiere y exactamente como desea. Es perfecto para los amantes del sexo anal, que la mayoría de las veces no pueden ver sus deseos cumplidos. De rodillas, de espaldas, con las manos o las piernas atadas o lamiendo la suela de tus zapatos durante veinte minutos. Cualquier cosa que se os ocurra.

Una buena idea

Para todos aquellos de vosotros que todavía no estáis muy convencidos sobre este tema del B&D, podéis iniciaros con la lectura de algunos libros clásicos sobre este tema como *Historia de O*, de Pauline Réage, o con algunos de los libros del Marqués de Sade.

El dolor que experimentas durante este tipo de juegos es como el que sufres cuando te pillas un dedo con una puerta. Cuando sabes de antemano que vas a sentir dolor, aumentan las pulsaciones de tu corazón y se liberan las hormonas del bienestar, las endorfinas (justo lo que ocurre al hacer ejercicio). Uno de los efectos de todo esto es que el placer y las sensaciones sexuales aumentan. Cuando comiences a sentir dolor, intenta respirar de forma profunda y controlada, lo que hará que las sensaciones sexuales sean aún más intensas.

Es necesario decir que todo este asunto funciona mejor con un poco de juego de rol por ambas partes. Modificad algunos de los escenarios que proponemos en el libro o inventad alguno vosotros mismos. Es una noche dedicada completamente a ti. Deja que te ate como a un animal o que te encierre en un armario si es lo que consigue encender tu llama.

Cuando entramos en juegos de poder que incluyen factores como la humillación y el control, siempre existe la posibilidad de que hieras a la otra persona y no sólo físicamente. Antes de empezar debéis elegir una palabra clave que signifique que «el juego se ha terminado, es el momento de las caricias y del consuelo». Dicha palabra no debería ser «no» porque si la elijes no podrás gritar cosas del tipo «por favor, para, oh no, cabrón» sin conseguir que la diversión se quede a medias. Es una regla inamovible que si cualquiera de los dos pronuncia «da palabra», los dos pararéis de inmediato.

Otra idea más

¿Problemas para sugerir este tema? Echa un vistazo a la IDEA 16, *Piensa diferente*, para encontrar algunas sugerencias.

Juegos de poder

1. **Atarse.** Jugad con la exhibición (de forma general, cuanto más extendidos estén los miembros del cuerpo, más te sentirás expuesto al público, lo cual gusta mucho a algunas personas). Tener sujetas las cuatro extremidades es estupendo para aquellas personas a las que les cuesta llegar al orgasmo debido a la presión de tener que actuar durante el acto sexual. Si te atan te quedas totalmente a merced de tu pareja. Es ella la que tiene la responsabilidad. Tú puedes relajarte. Ummm. ¿No es eso en sí mismo un orgasmo?

2. **Azotes.** Aconsejamos que calientes previamente las nalgas de tu pareja con algunas palmadas suaves y que después establezcas un ritmo que incluya pausas entre los golpes. La parte de atrás de un cepillo del pelo o una pala de ping-pong son buenas alternativas a golpear directamente con la mano. Como regla general, nunca golpees ninguna parte dura del cuerpo. De hecho, no deberías golpear otra cosa excepto las nalgas a menos que sepas lo que estás haciendo. Después de la azotaina y cuando la piel esté todavía sonrosada y dolorida, desliza suavemente los dedos sobre su piel. Provocarás una sensación exquisita.

3. **Amordazar.** Esto es un juego mental más que otra cosa. Proporciona una estupenda panorámica y provoca que te sientas totalmente desamparado; además constituye una buena oportunidad para que sacudas la cabeza de lado a lado al mejor estilo de una película de adolescentes. Lame la mordaza, por favor. Taparse los ojos también funciona. Cuantos más sentidos dejes inutilizados (vista, oído, habla), más forzado estarás a concentrarte en lo que estás sintiendo.

4. **Pellizcar los pezones.** Experimentad primero con un pellizco cuando estéis cerca del orgasmo para comprobar si os gusta a ti o a tu pareja. A las personas a las que les gusta esta práctica, les gusta de verdad...

La frase

«La regla de oro de las prácticas sexuales especiales: juega sólo con personas que jueguen limpio. Aquel ex que te pilló engañándole no es la mejor opción para que te vende los ojos y te azote».

EM y LO, EXPERTOS EN CONSEJOS SEXUALES

Asumo que cuando no estamos disfrazados de traviesas colegialas ni de iracundos directores de colegio, todos nosotros somos adultos sensibles y que no es necesario aclarar que todos estos juegos implican un peligro potencial. No es aconsejable mantener las ataduras durante más de media hora a menos que seas un experto boy scout. Nunca debes dejar sola y sin vigilancia a una persona atada. No se debe azotar cerca de los oídos. Ya sé que pensáis que basta ya de consejos, pero conozco a personas que han practicado arriesgados juegos de este tipo con otras personas que lo pasaron bastante mal. Así que mucho cuidado y llegad a un acuerdo previo.

¿Cuál es tu duda?

P Mi marido quiere orinarme encima. Horrible. Simplemente, no puedo hacerlo. ¿Hay alguna razón por la que debería permitirlo?

R *No, no la hay. Pero en primer lugar, y esto se aplica a cualquier cosa que te pidan dentro de una relación, pregúntate a ti misma por qué. ¿Por qué el desea hacer esto? ¿Por qué a ti te disgusta? Analizando estas preguntas, encontrarás muchas claves sobre la dinámica de vuestra relación. ¿Se conformaría él con un simulacro? La doctora Pam Spurr recomienda un poco de juego de rol antes, como que tu marido te vierta encima un poco de té templado mientras tú tienes los ojos vendados. Haz lo que puedas, pero no debería ser tan importante a menos que vaya a afectar de forma permanente a tu relación con tu marido.*

P Nos gusta experimentar con el dolor, pero ninguno de los dos nos sentimos cómodos con los azotes. ¿Qué nos sugieres?

R *Hay una escena sexual realmente horrible en la que Madonna y Willem Dafoe juegan con la cera caliente de unas velas en una peli que es preferible olvidar, y que estoy segura de que no consiguió que la gente se excitara, sino todo lo contrario. Pero dejar caer una gota de cera caliente encima de la piel desnuda y después otra produce un dolor tolerable y parece más adulto que los azotes. Usa velas blancas de cera pura (sin perfumes ni colorantes) que se acaben de encender (para que la cera no esté excesivamente caliente). Sujétalas a unos centímetros de la piel y no eches cera repetidamente en el mismo punto. Cada una de las veces, prueba la cera en tu propia piel para asegurarte de que no esté demasiado caliente*

32

Vamos más hacia el sur

Pocas cosas en la vida conseguirán que tu pareja sienta más gratitud hacia ti con un esfuerzo tan mínimo como un buen movimiento de cabeza.

Ya sé que estás pensando, «ni que fuera una cuestión de astrofísica, ¿cómo podría hacerlo mal?». Chicos, os sorprenderíais.

Una vez entrevisté a una mujer que me dijo que nunca le había gustado el sexo oral a causa de los mordiscos. ¿Los mordiscos?, pregunté. «Sí, mama con tanta fuerza que me muerde con los dientes». Su pareja imitaba los movimientos que ella realizaba y no se les ocurrió a ninguno de los dos que quizás mamar no era necesario en este caso. Ella no se atrevía a decirle que no lo estaba haciendo bien, así que evitaba el sexo oral. No estoy sugiriendo que te estés comportando de forma estúpida pero si experimentas es necesario pedir opinión a la pareja.

- En primer lugar, debes preparar a tu pareja con un montón de besos, lametones y provocaciones. Esto no es sólo sexy, es completamente esencial. El clítoris es exquisitamente sensible. No debe recibir una sobreestimulación. No soporta la estimulación directa a menos que su portadora esté muy excitada. Lo que estoy diciendo es que ningún hombre debería ni siquiera pensar en

acercarse al clítoris (a menos que reciba una invitación explícita) hasta que ella empuje las caderas hacia él en un movimiento que indique explícitamente lo que quiere.

Una buena idea

Pasa la mano suavemente sobre el vello púbico antes de empezar con el sexo oral. Así eliminarás cualquier vello púbico que esté suelto para que no acabe entre tus dientes.

■ Incluso entonces, acércate lentamente. La mayor parte del clítoris, lo que se conoce como «dos brazos del clítoris», se extiende por debajo de la piel. Piensa en el clítoris como si fuera una V invertida, con la unión en el punto del clítoris que se ve desde el exterior. Extendiéndose a lo largo de los labios y hacia abajo hacia el perineo, están los «brazos». Piensa en el clítoris como si fuera una espoleta y estimúlalo por completo bajo la piel. El clítoris posee más terminaciones nerviosas que cualquier otra parte del cuerpo (miles más que el pene). Una estimulación demasiado directa puede echarlo todo a perder. Ve poco a poco trabajando los brazos del clítoris y siempre, siempre, comprueba las reacciones que vas provocando. Si ella separa la pelvis de ti, significará que estás siendo demasiado brusco.

■ Prueba algunos movimientos específicos y pregunta a tu amante sobre las variantes que le gustarían. ¿Más rápido, más lento, más fuerte, más suave? ¿De un lado a otro? ¿En círculos?

La frase

«Algunos hombres saben que un ligero toque con la lengua, que recorra a la mujer desde los tobillos a los oídos, prolongándolo de la forma más suave posible en varios lugares en medio del recorrido, realizado con frecuencia y con sincera dedicación, contribuiría inconmensurablemente a lograr la paz en el mundo».

MARIANE WILLIAMSON, LECTORA Y ESCRITORA ESPIRITUAL

Idea 32. Vamos más hacia el sur

- Haz preguntas. ¿Te importaría mostrarme dónde…? ¿Prefieres que aquí te presione fuerte o suavemente con la lengua? ¿Si sigo haciéndolo como hasta ahora, crees que llegarás al orgasmo? Si crees que no, ¿te gustaría que hiciera alguna otra cosa (eh, lo importante es el viaje no el destino)?

El secreto para practicar bien el sexo oral es recordar que la receptora debe ser capaz de concentrarse. Ella tiene que permanecer conectada con lo que le está sucediendo sexualmente, pero tiene que seguir siendo capaz de darte todo el control a ti. Ayúdala. Asegúrate de que está cómoda. Una vez que se esté acercando al orgasmo, no la distraigas cambiando la forma en que lo estabas haciendo si era evidente que lo estabas haciendo bien.

Otra idea más

Lee la IDEA 27, *Dirección sur*, para saber más sobre el cunnilingus.

OCHO COSAS QUE HACER CON LA LENGUA QUE SUELEN GUSTARLE A LOS CLÍTORIS (AL MENOS A ALGUNOS)

No se trata de una lista exhaustiva, pero está basada en un sondeo realizado a mujeres a las que se les preguntó por sus movimientos favoritos:

- Lametones grandes y homogéneos en los que se emplee toda la lengua. Cuanto más húmedos mejor.

- Movimientos rápidos sobre los bordes de los labios, centrándose de vez en cuando en el clítoris.

- Lamer hacia arriba repetidamente los surcos que se extienden desde la vagina hasta el clítoris, aumentando de forma gradual la presión pero nunca de forma que alcance directamente al clítoris (estimulando los «brazos», ya lo ves).

- Lamer suavemente mientras se presiona justo sobre el monte de Venus (la zona carnosa que probablemente encontrarás a la altura de tu nariz) con los dedos.

- Lengüetear, lengüetear, lengüetear, hacer círculos, hacer círculos. Lengüetear, lengüetear, hacer círculos, círculos y más círculos.

- Describir círculos muy lentamente alrededor del clítoris, pero sin llegar a tocarlo. Comprueba cómo de lento puedes llegar a hacerlo. Hacer esto después de un poco de calentamiento puede volverla loca de deseo.

- Sorbe en el clítoris con mucho cuidado y mueve con rapidez la lengua sobre él. O mueve la lengua lentamente arriba y abajo, arriba y abajo.

- Dobla la lengua y métela en la vagina de forma rítmica. (Nota del autor: a esta mujer le gustaba, pero muchos hombres lo hacen de forma excesiva. Recuerda, el clítoris es el rey del placer sexual. No uses en exceso la penetración con la lengua, a menos que te lo pidan de forma específica; asumir que la lengua puede imitar al pene es el error técnico más grave que los hombres suelen cometer).

Intenta todas estas cosas. Y al final, cuando ella esté cerca del orgasmo, probablemente estés haciendo alguna variante de lamer su clítoris arriba y abajo, de forma firme y rítmica siguiendo un ritmo constante y decidido. Ella estará arrimándose a ti. Quizás le guste que en ese momento le agarres las nalgas fuertemente a medida que se acerca al orgasmo. La ayudará a concentrarse. No modifiques nada de lo que estés haciendo a no ser que sea para ir un poco más rápido.

Idea 32. Vamos más hacia el sur

¿Cuál es tu duda?

P Él es voluntarioso, pero me empuja. Empuja, empuja, empuja. Y eso no produce ningún efecto en mí. ¿Qué puedo decirle?

R *En primer lugar, pídele que vaya más despacio. Realmente despacio. La lentitud y la firmeza funcionan en el caso de muchas mujeres. (Caballeros, a modo de información, normalmente no tenéis que acelerar el ritmo hasta prácticamente el final, y a veces, ni siquiera entonces). La clave está en que a él le resulta difícil hacerlo lentamente, pero pronto y de forma automática comenzará a utilizar el movimiento de lengua lento y completo que funciona en tu caso.*

P Ella sólo me dice que todo está «bien». ¿Cómo puedo obtener más información?

R *Tápale los ojos a tu amante y experimenta diferentes técnicas y grados de presión. Con frecuencia, el hecho de tener los ojos tapados nos hace menos conscientes de la expresión de nuestros sentimientos y sensaciones. Intenta pedirle que le dé a cada técnica una nota del uno al diez y que lo anote en un papel hasta que se atreva a decirte lo que quiere o lo que le gusta.*

33

Más sexo oral

¿Quién puede decir que sabe demasiado?

La técnica para practicarle una felación se basa en dos cosas: lo que hagas con la lengua y lo que hagas con el resto del cuerpo.

Las cosas que puedes hacer con tu lengua son limitadas y la mayoría de nosotros dominamos las diferentes variantes (lametones largos y lentos, lametones rápidos, presión localizada en los puntos calientes, etc.).

La magia reside en lo que puedes hacer con el resto de tu cuerpo mientras estás lamiéndole y dándole placer con la lengua. Incorpora los principios del Kaizen (pequeños cambios provocan grandes diferencias) a tu técnica. Es durante el sexo oral más que en cualquier otra cosa donde tendemos a estancarnos en la misma técnica una y otra vez. Y es por una buena razón, si funciona para tu pareja, ¿por qué cambiar la fórmula ganadora? Pero te invito a que pruebes a mezclar sólo unas cuantas técnicas y obtendrás una experiencia placentera dentro de los dominios de una experiencia mental y oral al mismo tiempo.

Una buena idea

Prueba a estimular la glándula prostática. Los hombres pueden experimentarlo durante la masturbación y las mujeres pueden utilizarlo para proporcionarle al hombre un orgasmo más intenso y profundo.

MANOS

- Tócale el pecho, pellízcale los pezones.

- Coloca los dedos de una de tus manos en su boca de forma que pueda chuparlos y lamerlos.

- Acaríciale con los dedos alrededor del ano, de los testículos y del perineo.

- Desliza un dedo bien lubricado dentro de su ano y estimula la glándula prostática, que notarás en la piel de la pared delantera, con una presión suave (pero avísale antes de que tienes intención de hacerlo). Si a él no le gusta esto, presiona de forma rítmica el perineo, que es una forma más suave de estimular la próstata.

- Sujeta con fuerza sus nalgas y sepáralas abriéndolas; muchos hombres, al igual que muchas mujeres, aprecian esta sensación de «estiramiento».

- Empuja la zona carnosa que se encuentra justo encima del hueso púbico o presiónala de forma rítmica. Esto aumentará las sensaciones que estás provocando con la boca.

- Coloca una mano en la base del pene y otra más o menos en la mitad. Aprieta el pene con ambas manos mientras te introduces el resto del mismo en la boca.

La frase

«Cuando las autoridades advierten de lo pecaminoso del sexo, tenemos una importante lección que aprender: no practiques el sexo con las autoridades».

MATT GROENING, CREADOR DE *LOS SIMPSONS*

- Usa un vibrador o un consolador a baja velocidad para presionar su perineo mientras le practicas la felación.

OJOS

Oh, es tan sencillo, pero si normalmente no miras a los ojos a tu amante mientras le practicas una felación deberías comenzar a hacerlo. Una mirada directa mientras tu boca se desliza hacia arriba y hacia abajo resulta poderosamente erótica. Esto es más fácil en unas posturas que en otras así que alterna la sujeción del pene con la mano mientras mantienes su mirada y le pasas la lengua por la cabeza del pene.

Otra idea más

Como alguien dijo una vez: «Por algo lo llaman trabajito». Consulta la IDEA 26, *Trabajos manuales*, para encontrar técnicas manuales que te ayuden a mantener la estimulación mientras te tomas un respiro. Asegúrate de que tienes una buena cantidad de lubricante a mano.

PIERNAS

Móntate a horcajadas sobre él como alternativa a las posturas habituales para la felación y ponte a cuatro patas si es necesario. Esto te deja completamente expuesta, pero visualmente es terriblemente excitante, especialmente si te tocas de vez en cuando. También le permite a él tocarte sin realizar ningún esfuerzo, lo que le resultará muy agradable. De ninguna forma, no hay que decirlo, le permitas que apoye su cerveza en tu trasero, por favor...

RITMO

Seguro que encuentras una técnica que le guste y un lugar que adore y al que puedas volver. Como máximo, alternarás entre dos técnicas. La única excepción a esto es cuando te apetece prolongar las cosas, lo cual puede asegurarle a él un orgasmo mejor y más intenso. Sin embargo, no siempre es así. Los penes de algunos hombres parecen aburrirse con un método constante de comenzar-parar-comenzar y su orgasmo resulta ser la mitad de explosivo que lo que los manuales sobre sexo nos han hecho creer; así que a menos que conozcas bien a tu hombre, no exageres esta técnica.

¿Cuál es tu duda?

P   Probé inclinando la cabeza sobre el borde de la cama mientras le hacía una felación porque leí que era la mejor técnica para que entrara en la garganta de forma profunda. ¿Por qué en mi caso no funciona?

R   *La garganta profunda no existe tal y como te la han explicado. Ni siquiera era verdad en la famosa película de los setenta protagonizada por Linda Lovelce: ninguna mujer tiene un clítoris en el fondo de la garganta. Pero abarcar la longitud total del pene dentro de la boca sí es posible y no existe, de hecho, ninguna mística en este acto. Es cuestión de ser capaz de controlar tu reflejo gástrico y esto es lo que puede requerir cierta práctica. La postura que has probado está tomada del porno y no es una buena forma de comenzar ya que ofrece una línea recta, y además no podrás controlar bien las arcadas. Por último, afrontémoslo, estar echada de espaldas mientras te asfixian lentamente, sin tener ningún control sobre la penetración, provocará que te dé un ataque de pánico.*

P   Entonces, ¿cómo practico la garganta profunda?

R   *Deberías tener el control sobre el pene, poniendo la mano en la base de forma que te sientas segura. Haz el movimiento dentro-fuera, manteniendo el pene en la boca durante poco tiempo. Cuando el pene te golpee la parte de atrás de la garganta, el secreto reside en contener momentáneamente la respiración. Toma aire cuando el pene se separe de la garganta y suéltalo cuando se aproxime de nuevo. Deja que vaya un poco más dentro cada vez. Una vez que seas una experta en tenerlo entero dentro de la boca, puedes volver a intentarlo con la cabeza en el borde de la cama, pero tu amante, que será el que controle el movimiento, tiene que hacerlo suavemente. Y nunca, ¡nunca creas todo lo que ves en las películas porno hasta el punto de ponerlo en práctica!*

34

Un baño de amor

Si eres inteligente, reconocerás que el baño es el mejor sitio de la casa para todo tipo de prácticas sexuales. Ningún otro lugar te hará sentirte más e-spa-cial (siento la broma fácil...).

El baño debería ser el lugar en el que comienza el proceso de seducción. Es el lugar donde lavarse así que puedes sentirte libre para llegar al orgasmo (esencial si no quieres estar preocupado sobre pequeñas cosas como resultarle físicamente repulsivo a tu pareja).

A continuación puedes encontrar algunas claves para sacarle el mayor partido a tu cuarto de baño.

PASO 1: DESMELÉNATE

Si te resulta difícil desconectar y eres una de esas personas que siempre tienen algo que hacer, deja ese vaso de vino o ese rato de tele que usas como tu desestresante nocturno habitual y en vez de eso diseña tu propio «ritual de transición» en el que dejas de lado las presiones diarias y comienzas a prepararte para una noche de pasión. Seguro que es más probable que te despierte las ganas de practicar el sexo que dos horas frente a la tele.

Los rituales de transición son especialmente importantes si trabajas en casa (y esto incluye el cuidado de niños pequeños). Haz que esos veinte minutos en el baño cada noche sean la forma en que le envías el mensaje a tu cuerpo de que el día de trabajo ha finalizado y que es el momento de relajarse, bajar la presión y jugar. Tu baño debería ser tan agradable estéticamente como sea posible. Haz que desaparezcan los juguetes de plástico, mantén una luz suave y aíslalo de los ruidos externos. Mímate con aceites y lociones que te hagan sentirte bien y deja que las preocupaciones del día se vayan por el desagüe como el agua. Será mejor cuanto más temprano lo hagas. Dispón también de alguna «ropa de transición»: ropa cómoda, ligera y sensual que te haga sentirte bien. Dedica este tiempo sólo para ti, ya que es mucho más útil que una ducha rápida a última hora de la noche o a primera de la mañana.

Una buena idea

Una buena idea para las mujeres es situar el clítoris debajo del grifo mientras colocas las piernas sobre la pared. Esto puede producir un fuerte orgasmo, pero sólo funciona si tienes un grifo regulable y un buen chorro de agua templada.

PASO 2: PRACTICA EL SEXO

Si siempre estás demasiado cansado como para practicar el sexo, no esperes hasta la hora de irte a la cama. Emplear un poco de tiempo en sentirte sensual cuando todavía puedes mantener los ojos abiertos es una forma segura de animarte y de recuperar la fogosidad. Consigue que tu pareja apague la tele y que haga algo parecido y ambos recuperaréis las ganas. ¿Todavía no estás convencido? De acuerdo, es el momento del…

PASO 3: HAZ EL AMOR A TU DUCHA

Está bien, si te vas a poner pedante, deja que tu ducha te haga el amor a ti. En serio. Si todavía no has tenido un orgasmo con la ayuda del mango de la ducha, ¿qué narices es lo que haces allí? Para las mujeres, especialmente para aquellas que tienen problemas para llegar al orgasmo, dirigir el caudal de agua alrededor o sobre el clítoris mientras están sentadas en un lado de la bañera o echadas dentro de ella, resulta una forma sencilla de conseguir un orgasmo. Quizás porque desaparece la presión de la actuación con la pareja (no tienes que preocuparte por si le haces daño a la ducha o por si tardas demasiado en llegar), funciona como la seda. Cuando escribí un artículo sobre los placeres de la ducha a principios de los noventa, sufrí literalmente una avalancha de cartas de agradecimiento de mujeres (y unas cuantas de sus hombres) que habían leído el artículo y se habían ido derechas a la ferretería más próxima con excelentes resultados. Así que si estás buscando una excusa para instalar una ducha decente, hazlo por el bien de tu vida amorosa.

Otra idea más

El baño puede ser un buen lugar para poner en práctica la IDEA 46, *Espera. ¡Te digo que esperes!* Puedes continuar la acción en el dormitorio para conseguir que realmente se prolonguen las cosas.

A los hombres también les puede resultar divertido el juego con la ducha; por ejemplo, incrementar lentamente la presión sobre un punto puede ser realmente fantástico.

Nota: las mujeres sólo deben dirigir el agua a la zona del clítoris. Forzar a que el agua entre en la vagina conlleva un pequeño riesgo de que se cree una pequeña burbuja de aire donde no quieres. No es una buena idea.

La frase

«¿Por qué las mujeres se ponen perfumes que huelen a flores? A los hombres no les gustan las flores. Yo he probado un nuevo perfume que me garantiza la atracción masculina. Se llama *Interior de un coche nuevo*».

RITA RUDNER, HUMORISTA AMERICANA

¿Cuál es tu duda?

P   He probado eso de echarme en el baño bajo el agua y sí que llego al orgasmo, a veces. Pero me lleva una eternidad. ¿Cómo puedo acelerar un poco el asunto?

R   *Puede que te lleve más tiempo que otros métodos. Esto forma parte de su encanto. Si tienes prisa, prueba uno de esos vibradores que son resistentes al agua.*

P   Nos gusta la idea del ritual de transición. ¿Alguna idea más?

R   *Funciona incluso mejor como desestresante si lo practicáis juntos. Podéis mimaros el uno al otro dentro del baño. Probad lo de frotaros la espalda con esponjas exfoliantes o aceites suaves mutuamente. Proponeos experiencias multisensoriales y daros un poco de ternura y cariño antes de entrar en la ducha y practicar el sexo. Como vengo diciendo, esto resulta estupendo para aquellas parejas que ya están demasiado cansadas a las once de la noche. En ocasiones especiales, colocad algunas toallas viejas en el suelo del baño y explayaros. Extended miel, salsa de chocolate, nata, crema de güisqui sobre vuestros cuerpos y lameos el uno al otro. Y cuando esto comience a resultar aburrido, siempre estará vuestra amiga la ducha para unirse a la fiesta y ponerle un poco de picante.*

35

El club de la lucha

La energía sexual no es el único caudal de energía que existe dentro de una pareja de larga duración. También está la furia ciega.

Algunas parejas necesitan discutir un poco para conseguir la energía necesaria para mantener relaciones sexuales; algunas tienen sus mejores experiencias sexuales después de una riña y a otras les gusta tanto inventar un escenario para el sexo que simulan una pelea para excitarse.

La última opción no es muy recomendable ya que puede desgastar mucho emocionalmente, pero aún así se pueden utilizar las peleas para sacar algún provecho de ellas.

CUANDO UNA PELEA NO ES UNA PELEA

Una pelea no es una pelea cuando se utiliza como forma de incrementar vuestra energía y de aumentar la excitación entre vosotros.

■ Cuando estás cansado, ¿encuentras profundamente irritante la mera presencia de tu pareja en la habitación?

- Después de una temporada de felicidad con tu pareja, ¿sientes una especie de presión que aumenta, una necesidad de provocar en ella alguna reacción extrema?

- Cuando estás aburrido, ¿te diviertes manteniendo una discusión sobre política, el significado social de Ikea, o cualquier cosa que implique una oposición frontal a tu pareja?

Una buena idea

Acoge con agrado una pelea y considérala una oportunidad para mejorar vuestra relación. La habilidad de una pareja para usar los desacuerdos para airear los problemas y alcanzar un compromiso que los una un poco más es uno de los síntomas de una buena relación.

¿Has contestado afirmativamente a alguna de las preguntas anteriores? Si es así, puedes ser un amante, pero también eres un luchador.

- ¿Te sientes a veces «atrapado» de forma que no importa lo que hagas porque tu pareja te echará en cara que lo has hecho mal?

- ¿Tenéis peleas sin razón? Estás mirando por la ventana, observando cómo crecen las flores y de repente te encuentras con que os estáis peleando.

- ¿Te has dado cuenta de que tu pareja se vuelve especialmente cariñosa después de que hayáis tenido una pelea?

¿Sí? Tu pareja es una luchadora.

No te voy a dar ningún consejo aquí sobre cómo evitar las peleas. Una buena pelea, desarrollada limpiamente, puede hacer mucho bien a una pareja, y no sólo porque os proporcione la oportunidad de reconciliaros después. No hay nada malo en aprovechar toda esa energía negativa y convertirla en una pasión de otro tipo.

Pero lo realmente importante es saber diferenciar cuándo os estáis peleando sólo para liberar energía porque así podréis maximizar la diversión. Cuándo se acerca una pelea, ¿sabes si es a causa de algo importante? ¿Va a decidir algún aspecto fundamental de vuestra relación? ¿O es simplemente una liberación, una descarga de energía, una forma de soltar un poco el vapor acumulado en la olla a presión con una persona con la que puedes sentirte en confianza?

Otra idea más

Si vuestras peleas se deslizan rápidamente hacia lo psicótico, lee la IDEA 49, *Convivir con el agotamiento*.

Si la pelea es sobre alguna cuestión importante, es necesario saber llevarla de forma honesta y esforzarse por llegar a una buena resolución.

■ No generalices (Las mujeres siempre…/Siempre dices…), ni preguntes (Si me amaras realmente…), ni acuses (Eres horrible…) ni culpes (Haces que me sienta…).

■ Debes centrarte en el presente (En este momento…), hablar en primera persona («Siento que…» mejor que «Me haces sentir…») y avanzar hacia un compromiso (¿Qué necesitamos para que ambos nos sintamos felices?).

La frase

«No te vayas enfadado a la cama. Levántate y lucha».

Phyllis Diller, COMEDIANTE

Si la riña es sólo una forma de descargar un poco de tensión, ¡estupendo! También es importante que juguéis limpio, pero podéis permitiros algo de diversión.

- Cumple todas las reglas citadas anteriormente.

- Cuando el asunto se esté calentando demasiado y ambos sintáis que necesitáis un descanso, cambiad el escenario al dormitorio.

- El *Kamasutra* sugiere ocho formas diferentes de golpearse y cuatro rituales de lucha para antes del coito. También se explaya en lo referente a los arañazos. Queda probado, por si alguien lo dudaba, que la lucha física no es nada nuevo. Unas palmadas suaves, darse empujoncitos el uno al otro, ponerse un poco bruscos, utilizar el cuerpo para expresar tu enfado a tu pareja son todas cosas correctas. Probadlas, pero recordad que es para divertiros por muy enfadados que estéis. Cuando te sientes excitado sexualmente, tu habilidad para lidiar con el dolor aumenta (pregunta a cualquier masoquista que conozcas…). Pero, por favor, no te excedas sólo porque tu pareja no grite de dolor. Puede simplemente que no lo esté sintiendo todavía.

Idea 35. El club de la lucha

P Nosotros no luchamos. Sólo nos criticamos el uno al otro. ¿Cómo podemos luchar «de forma correcta»?

R *Si sientes que estás discutiendo demasiado y poniendo al otro de los nervios, olvida las palabras y pasa a lo físico. Id al dormitorio y resolved los problemas de la forma más tradicional, peleándoos con las almohadas. Si tienes un poco de tiempo, otras alternativas son:*

- **Luchar desnudos.** *Utilizad mucha cantidad de aceite corporal para bebés y luchad en la cama. El primero que logre tirar al otro de la cama es el que gana. Jugad a tres caídas.*

- **Lucha de striptease.** *El primero que consiga que el otro esté completamente desnudo es el que gana. Si vuestra fuerza física es muy desigual, podéis igualarla si el más fuerte tiene una mano atada o los ojos vendados.*

- **La tortura de la risa.** *Uno de vosotros está atado a una silla y tiene que mantenerse serio mientras que el otro intenta hacerle reír.*

P Nuestras peleas son siempre muy serias y muy poco costructivas. Ningún montón de almohadas va a funcionar en nuestro caso. ¿Qué es lo que va mal?

R *Si os peleáis continuamente, es evidente que hay un resentimiento subyacente; uno de los dos está muy enfadado, o ambos. Las parejas extienden con frecuencia cortinas de humo que evitan que se enfrenten al hecho de que hay algo que realmente les enfada. Discuten sobre si pueden permitirse comprar un coche nuevo cuando lo que realmente les enoja es la falta de sexo, ternura o cariño. Es una cuestión de control: uno de los miembros tiene todo el poder sobre la relación. ¿La solución? Puedes probar a ser valiente y decir: «Discutimos por estupideces porque no nos atrevemos a hablar sobre nuestro principal problema. Es el momento de hacerlo». Es lo que hay que hacer, pero si tu pareja no quiere hablar, todo lo que puedes hacer es seguir con tu vida e intentar no reaccionar a sus intentos por mantener el control.*

36

Ve de compras y diviértete

¿Quién iba a pensar que ir de compras pudiera ser tan positivo para la vida amorosa?

Una de cada tres mujeres del Reino Unido tiene un vibrador. Para algunas mujeres, su vibrador es un amigo bueno y fiel con el que pueden contar siempre que quieren. Para otras, es sólo un desagradable trozo de plástico escondido en el fondo de su armario.

Este capítulo está dedicado a estas últimas, porque evidentemente, aunque tu vida amorosa sea vibrante, no está vibrando literalmente y eso puede significar que te estás perdiendo algo. Un vibrador es algo útil y bueno, una cosa divertida para ambos miembros de la pareja. La clave del vibrador es, efectivamente, la vibración. Lo más efectivo es colocarlo contra el clítoris. Para hacer esto no importa la forma que tenga, pero ayuda si se adapta a tus dedos y es bastante discreto de forma que no entorpezca el camino, como por ejemplo, una enorme imitación de un pene que mida  veinte centímetros. Lo que es realmente curioso es que lo que funciona para ti, probablemente funcionará también para tu pareja. Puedes usarlo durante las relaciones sexuales recorriendo arriba y abajo su pene o colocarlo en su perineo.

Una buena idea

Para ver unos consejos detallados sobre juguetes sexuales de todo tipo, visita las páginas www.sex-shop.com.es, www.sh-womenstore.com (página en inglés pero envían a prácticamente todos los países del mundo), www.aemelia.com, www.eltocador.com (específica para mujeres) o la más sofisticada : www.love-to-love.com.

A continuación describo algunos vibradores que realmente funcionan. Puedes encontrarlos en cualquier sex-shop, pero mejor en aquellos que están dedicados sólo a las mujeres:

1. Tu dedo, ¡pero mejorado! La argolla vibradora se desliza en el dedo como si fuera un anillo. Hace que el dedo vibre y puedes mantener el contacto directo de la piel. Adecuado para las personas que desean las formas más naturales. Puedes encontrarlo en www.etienda.es/ sexyetienda o en www.morbia.com.

2. **Control remoto.** Los hay de muchos tipos. Un ejemplo consiste en un pequeño aparato plano que puedes sujetar a cualquier parte de tu cuerpo y en un pack de control que ofrece un gran abanico de diferentes combinaciones de estimulación. También existen vibradores especiales para sujetarlos directamente al clítoris. Probad la postura de la cuchara de forma que él tenga el control de la vibración y de cuándo ella llegará al orgasmo. Si él la penetra, también podrá sentir las vibraciones.

Existe otro vibrador por control remoto (tanto para él como para ella) para colocar dentro de la ropa interior. La idea es que un miembro de la pareja se lo coloque mientras el otro conserva el control remoto. Puedes activarlo mientras él o ella está haciendo cosas por la casa, hablando con los vecinos o mientras cenáis en un restaurante. Pero, por favor, nunca cuando esté conduciendo.

3. **Los anillos de la confianza.** Los anillos para el pene que se colocan en el miembro hacen que éste engorde (bueno para él, bueno para ella). Cuando el anillo tiene un estimulador clitoral añadido, pues todo es mucho mejor. Hay muchos tipos pero desde aquí recomendamos el que sólo vibra cuando se pone en contacto con el clítoris. Vibra, no vibra, vibra, no vibra a medida que él entra y sale, entra y sale. Es una sensación interesante aunque puede causar algo de distracción; algunas parejas lo adoran. Puedes encontrarlo con el nombre *Anillo Body to body* en www.etienda.es/sexyetienda.

4. **Vibradores punto G.** Hay un amplio rango de vibradores diseñados para estimular el punto G. Los puedes encontrar de plástico, de silicona (un poco más caros) con forma o sin ella. Uno de ellos es el Natural Contour Ultime que puedes encontrar en www.morbia.com.

Otra idea más

Consulta la IDEA 37, *¡A jugar!*, para saber más sobre los juguetes sexuales.

Los vibradores ya existían en el siglo XIX, antes incluso que las planchas o las aspiradoras. Las versiones eléctricas fueron inventadas por prescripción facultativa, con el propósito de relevar a los extenuados médicos a los que se requería con frecuencia para que realizaran la estimulación femenina de forma manual para calmar los signos de la histeria. Y no me lo estoy inventando. Los vibradores pronto se hicieron populares entre el público general, ya que pagar al médico para que te masturbara era bastante caro además de un tanto embarazoso. Y todo ha ido mucho mejor desde entonces.

La industria de los juguetes sexuales mejora a cada momento. Si visitas sus páginas web, quedarás asombrado de la cantidad de novedades que ofertan continuamente. Así que si tu última aventura en un sex-shop fue durante tu adolescencia y tu única compra fue un liguero rojo completamente inútil, hazte un favor a ti misma y pruébalo de nuevo.

La frase

«Las parejas deben aceptar la masturbación, aceptar el autoplacer en el otro, mostrarle al otro cómo hacerlo. Si un hombre no puede soportar observar cómo su amante usa su vibrador, mi consejo para esta mujer sería: conserva el vibrador y recicla al hombre».

BETTY DODSON, GURÚ DEL SEXO

¿Cuál es tu duda?

P   ¿Es cierto que el uso de vibradores puede hacerte perder sensibilidad?

R   *Algunos dicen que sí. Te acostumbrarás a llegar al orgasmo sólo con una cantidad concreta de vibración, provocada por un modelo de vibrador concreto y de una forma determinada. Lo que es claramente un inconveniente. La respuesta es (como con cualquier otra pareja sexual) que no te acomodes como consecuencia del uso del vibrador. Prueba diferentes tipos, cambia la forma en que te masturbas, hazlo a través de una prenda de ropa, haz descansos, pídele a tu pareja que lo maneje él. Los juguetes que ofrecen diferentes tipos y frecuencias de vibración son los mejores para que no te acomodes. Si sólo puedes llegar al orgasmo con tu vibrador, debes dejarlo a un lado y experimentar otras cosas. No te dejes llevar por la rutina.*

P   Mi último vibrador era realmente ruidoso. ¿Puedes recomendarme alguno?

R   *Los vibradores de silicona son mejores que los de plástico. Actualmente hay algunos que sólo emiten un susurro. En las mejores tiendas encontrarás sugerencias al respecto. Pero recuerda que la clave es que funcione en tu caso, algunas mujeres necesitan mucha estimulación y a veces eso conlleva un número elevado de revoluciones. Ningún vibrador suave le funcionará a ninguna mujer. Así que ¡sube el volumen de tu equipo de música!*

37

¡A jugar!

Se puede decir con toda seguridad que más o menos diez segundos después de que un cavernícola descubriera que una zanahoria era una cosa comestible, otro de ellos descubrió que era buena para algunas otras cosas también…

Los juguetes sexuales son algunos de los más antiguos de los que disponemos. Y el nombre que reciben de «juguetes» no es casual. Son divertidos. Muy divertidos. Disfrútalos.

Todas las parejas deberían tener su propia «caja de tesoros»: una caja especial, cerrada con llave, en la que puedan bucear buscando algo de inspiración. ¿Qué se puede meter dentro? Id de compras. Puede ser muy divertido. Quizás preferiáis ir de compras por Internet, lo cual es más discreto, y si comienzas a navegar ahora mismo puedes estar utilizando tu nuevo juguete en menos de cuarenta y ocho horas. Aquí tienes algunas ideas:

LUBRICANTE

Enormes cantidades de lubricante. Kathryn, que pertenece a mi sex-shop favorito, www.sh-womenstore.com, dice: «Las lesbianas nunca han sentido esa ansiedad respecto al lubricante que tienen las parejas hetero. Utilizar lubricante no significa que seas una *zorra caliente*. Hace que todo sea bastante mejor, especialmente si deseas que la sesión sexual sea más larga».

Hay un montón de lubricantes en el mercado. Si tienes algún problema con la piel, puedes ir a la farmacia para que te aconsejen el más adecuado para ti. Luz es una versión más barata del famoso Liquid Silo y Probe es un gran lubricante para los que tengan problemas de alergias. Kathryn recomienda Escalate, que contiene L-arginine, una sustancia natural que aumenta la presión sanguínea y el placer sexual. L-arginine es fantástico pero no está recomendado para los que padezcan herpes porque hay una pequeña posibilidad de que el problema se agrave con su uso (puedes conseguirlos todos en www.sh-womenstore.com). En España, puedes conseguir Durex Top Gel en cualquier farmacia o sitio web, que es inodoro y transparente, no deja manchas y además tiene buen precio.

Si utilizas contraceptivos fabricados con látex, no debes usar vaselina, aceite de bebés ni ninguna otra cosa que pueda corroer la goma.

Una buena idea

Si te gusta que él te lama el clítoris, quizás te guste la sensación que proporciona un succionador de clítoris que puede usarse (de forma suave) para ahuecar el tejido de alrededor del clítoris dejándolo exquisitamente sensible.

DILDOS Y ARNESES

«Vendemos entre un 30 y un 40% de nuestros arneses a parejas heterosexuales», dice Kathryn, disipando así la idea de que sólo las lesbianas, por su evidente falta de pene, utilizan y disfrutan de los dildos en el dormitorio. Continúa comentando: «No creo que se utilice como fantasía sexual o juego de rol. Creo que más bien se trata de la búsqueda de una sensación directa. Los hombres consiguen sentir su próstata. A ellos les gusta que les penetren». Las mujeres que buscan un arnés prefieren los ajustables con velcro que permiten un ajuste cómodo.

Idea 37. ¡A jugar!

Existen muchísimos tipos diferentes de dildos o consoladores, pero la mejor opción son los que están hechos de silicona; son más caros pero la sensación que producen es fantástica y se adaptan rápidamente a la temperatura del cuerpo.

Y si quieres experimentar las sensaciones pero te molesta el tema del arnés, busca otro famoso juguete sexual que puede ser más adecuado en tu caso. Básicamente, es un doble consolador una de cuyas partes la mujer mantiene dentro de la vagina con ayuda de sus músculos PC, y que además estimula su punto G, mientras que la otra penetra a su pareja.

Otra idea más

Consulta la IDEA 36, *Ve de compras y diviértete*, para encontrar direcciones de Internet donde puedes realizar tus compras de forma discreta.

PENETRACIÓN DESDE ATRÁS

Los juguetes especiales para el ano no realizan ningún movimiento pero sí constituyen algo que tus músculos anales pueden apretar mientras que llegas al orgasmo. Lo que digo es que puede resultar agradable colocarse un pequeño tapón en el ano mientras haces las faenas de la casa, por ejemplo. Si te gusta contraer y relajar de forma repetida estos músculos puedes probar las bolas, que te permiten meterlas y sacarlas lentamente, o todas a la vez en el momento del orgasmo y producen excelentes sensaciones en la próstata. Y, por supuesto, puedes comprar esos largos y finos vibradores diseñados especialmente para la estimulación anal.

La frase

«Hay muchos juguetes sexuales que aumentan la excitación, particularmente en el caso de las mujeres. Entre ellos, uno que destaca es el Mercedes-Benz convertible 380SL».

P.J. O'ROURKE

¿Cuál es tu duda?

P   ¿Cualquier tipo de porno puede estimular nuestra vida amorosa?

R   *Eso espero.*

P   No, en serio. ¿No hay *nada* que nos recomiendes?

R   *Me disculpo por mi frivolidad pero creo que las mujeres son tan visuales como los hombres en lo referente al sexo, sólo que no disponen de nada suficientemente bueno como para mirarlo. El porno diseñado para excitar a los hombres también excita a las mujeres, así que prueba. Pero muchos de nosotros comenzamos a sentirnos absurdas después de unos minutos; nuestros cuerpos reaccionan físicamente, pero la misoginia que rezuman este tipo de películas provoca que nuestra mente se desconecte. Podéis intentarlo con el porno específico para las lesbianas, porque puede ser que encontréis algo que os excite a los dos al mismo tiempo. Algunos vídeos de educación sexual para adultos también son bastante buenos. O probad a hacer vuestro propio vídeo porno casero.*

38

Peligro

El peligro es el afrodisíaco más rápido y más efectivo.

Esto funciona mejor que el porno, y no estoy bromeando.

Durante un famoso experimento, una atractiva científica entrevistó a dos grupos de hombres. El primer grupo se sometió a una entrevista convencional. El segundo fue entrevistado después de cruzar un puente colgante hecho sólo con cuerdas. En el momento de la entrevista, las palmas de sus manos estaban sudorosas y sus corazones latían más rápido de lo habitual. Este grupo de hombres encontró a la entrevistadora mucho más encantadora. El peligro había aumentado su respuesta sexual.

En otro experimento, se asignó una atractiva ayudante a un grupo de hombres voluntarios. Se les dijo que la investigación era sobre los tratamientos mediante descargas eléctricas. A algunos hombres se les dijo que formaban parte del grupo de control, por lo que no recibirían descargas. Al resto se les informó de que iban a sentir dolorosos pinchazos de electricidad. Después se les preguntó qué grado de atracción sentían hacia su pareja en la investigación. Los que esperaban nerviosos ante la

idea de recibir una descarga encontraron mucho más atractiva a la misma mujer que aquellos que estaban en el grupo de control.

No he podido encontrar ningún experimento similar realizado con mujeres, pero estoy prácticamente segura de que los resultados hubieran sido los mismos. El peligro suele funcionar en dos niveles. En primer lugar, cuando nos sentimos asustados la vida parece ser más intensa y aumenta el deseo sexual junto con todos los demás sentimientos. En segundo lugar, es el viejo tópico del hombre primitivo. Si compartís el peligro, el hombre tiene la oportunidad de cuidar de la mujer y ella se siente frágil y protegida incluso si es una alta ejecutiva sin escrúpulos que corta unas cuantas cabezas todos los días antes de desayunar.

Una buena idea

Ese viejo tópico de hacer una lista de seis escapadas y después dejar que sean los dados los que decidan cuál haréis os puede proporcionar un momento de deliciosa emoción.

No estoy sugiriendo que os lancéis de cabeza a cualquier cosa que resulte peligrosa, pero compartir algunas aventuras será efectivo, especialmente si se trata de aventuras físicas. Como aventura cuenta todo lo que os ponga la adrenalina en marcha. No tiene por qué ser peligroso necesariamente. Sólo tenéis que buscar una experiencia compartida que haga palpitar vuestros corazones.

ALGUNAS IDEAS

Suaves

- Id a algún parque temático que tenga atracciones rápidas y altas.

- Retaos el uno al otro.

- Practicad el sexo en algún lugar donde es posible que os vean.

- Pasad la noche en algún lugar con fama de estar encantado y que resulte absolutamente espeluznante.

- Comprad juntos en un sex shop.

Otra idea más

Utiliza tu imaginación. Combina el peligro con el secreto. Lee en la IDEA 42, *Pequeños secretos obscenos*, más sobre experiencias que crean fuertes lazos.

Fuertes

- Practicad el sexo donde sea seguro que alguien os pueda ver (pero tened cuidado, no querréis que os arresten).

- Practicad el rafting, tiraos en paracaídas o haced puenting.

- Quitaos la ropa a media noche al final de vuestra calle.

- Id a algún bar donde haya monólogos humorísticos no profesionales. Observad de pie y divertios.

Por último, el hecho de intentar inculcar de forma activa un sentido de peligro a vuestras vidas tendrá un efecto afrodisíaco, pero además reforzará vuestra unión y no sólo la sexual. Haz un repaso a la vida que estáis construyendo juntos. Si estáis pasando por cierta inactividad sexual ¿quizás es porque vuestra vida es aburrida y todo es pura rutina? Como pareja, ¿estáis construyendo el tipo de vida que queréis? ¿Es el momento de dejar de jugar a ser peligrosos y comenzar a tomar algunos riesgos reales con la intención de mejorar vuestra vida? ¿Es el momento de mudarse de país, de ciudad, de cambiar de trabajo, de tener un niño o de adoptarlo, de viajar por el mundo, de irse a vivir a la playa? Seguro que suena atemorizante. Seguro que puede resultar un fracaso. Pero si estáis de acuerdo en realizar un enorme cambio de vida, tomáis esta aterradora decisión juntos y tenéis éxito, la satisfacción que sentiréis el uno respecto al otro llegará al cielo. Y no hay nada como sentir que has trabajado duro por conseguir algo con tu pareja y que habéis tenido éxito para que vuestra libido suba como la espuma.

La frase

«Mi última fantasía es que seduzco a un hombre y lo llevo a mi dormitorio, le pongo una pistola en la cabeza y le digo: «Házmelo o muere».

RUBY WAX, ESCRITORA Y COMEDIANTE

¿Cuál es tu duda?

P Mi pareja no vale para esto. Es el típico intelectual casero y todas tus ideas son para practicarlas fuera de casa. ¿Hay algo que pueda intentar?

R *Umm. Entiendo lo que dices. Intenta hacer cosas diferentes que lo saquen un poco de la comodidad. Por ejemplo, sugiérele que os encontréis en el Museo del Prado en Madrid (si vivís en Madrid, elige cualquier otra ciudad) un sábado concreto del mes que viene. Pero tendréis que llegar solos hasta allí. No os podréis comunicar de ninguna forma. Viajad por separado y registraos en hoteles diferentes. Encontraos. No se puede definir exactamente como peligroso pero tendréis experiencias por separado, conoceréis a gente diferente y tendréis que salir un poco de vosotros mismos, que es el primer paso para llevar una vida más excitante.*

P Nosotros dos tenemos umbrales diferentes de peligro. A mí me da mucho miedo montar a caballo y mi novio quiere lanzarse en paracaídas. ¿Seguro que sirve de ayuda sentirse aterrorizado?

R *La idea es algo así, pero por favor, no hagas locuras o acabarás odiando a tu novio. Comenzad con un paseo a caballo. Ve a tu propio ritmo. La competencia ayuda a mejorar la confianza. Pero asegúrate de que él sea consciente de que montar a caballo es tan aterrador para ti como para él lanzarse en paracaídas.*

39

Deja que una mujer sea una mujer y que un hombre sea un hombre

Hay un hombre en Estados Unidos llamado David Deida que tiene algunas ideas interesantes sobre por qué deja de interesarnos el sexo o no nos interesa tanto.

No hay nada particularmente nuevo en sus ideas, pero por el modo en que las presenta resultan bastante convincentes.

Somos iguales pero tenemos nuestras particularidades. Incluso las relaciones largas se desmoronan debido a la tensión que provoca la sobrecarga de trabajo. Los últimos números muestran que la tasa de divorcios está llegando al cincuenta por ciento de los matrimonios.

Pero de acuerdo con Deida, la vida no tiene por qué ser así. Deida dice que las mujeres no son esclavas, sino criaturas apasionadas, vitales y emocionantes a las que se les debe dar la oportunidad de vivir una vida rica en complejidad emocional. Para aclararlo, dice que necesitan el amor de lo que él llama «el hombre superior»: un individuo centrado, fuerte, independiente que camina con seguridad hacia su destino. Según la teoría de Deida, cuando los hombres son fuertes y las mujeres pueden apoyarse en ellos, la intensidad de la pasión llega muy lejos. Lo que está acabando con nuestras vidas sexuales, dice, es la excesiva igualdad. Y sí, estás leyendo bien.

«Lo más importante hoy en día en las relaciones al cincuenta por ciento», continua Deida, «es que los hombres y las mujeres se están aferrando a una igualdad políticamente correcta incluso en la cama y es justo por eso por lo que desaparece la atracción sexual. El amor puede ser fuerte pero la polaridad sexual hace que se desvanezca». Según Deida, tanto hombres como mujeres tienen una cara masculina y otra femenina o «polaridad». Es positivo que los hombres se pongan en contacto con su lado femenino (los hombres sí lloran) y las mujeres con el masculino (son brillantes en las salas de reuniones). Ella puede ser la que gane el dinero y él el que cuide a los niños, pero si quieres que la pasión continúe, él debe ser alguien en quien ella siempre pueda confiar y apoyarse y ella debe quitarse las hombreras tan pronto como atraviese la puerta de entrada a la casa.

Una buena idea

David Deida ha escrito varios libros (ninguno publicado de momento en España) que puedes consultar (y comprar) a través de su web www.deida.info. Lo que sí se puede comprar en España son algunas de sus grabaciones de audio en la página www.discoweb.com.

¿QUÉ ES UN HOMBRE SUPERIOR?

Los fundamentos de Deida parecen nacer del movimiento masculino, la reacción al feminismo, que intenta que los hombres entiendan nuestro loco y mezclado mundo y su papel dentro de él. Cuando él pierde de vista su objetivo, necesita «un tiempo muerto», lo que en otras culturas se llama «búsqueda espiritual», que de manera metafórica significa viajar al desierto y tocar tu tambor hasta que encuentres de nuevo tu camino. A menos que encuentre su camino, no le será útil a nadie y mucho menos a su pajarito. Y es por esto que ella debe tratar de entender la importancia de esta búsqueda. También puede ayudarle a ser un hombre superior «retándolo», no permitiéndole ningún desliz. Nada de tumbarse a ver los deportes cuando lo que debería estar haciendo es buscar trabajo. Nada de pasar noches en el bar cuando todavía no ha escrito ni una palabra de esa famosa novela. Deida lo llama «retarlo», pero desde luego suena más bien como «reñirlo». De todas formas, hay muchas más sugerencias en sus escritos sobre cómo un hombre puede transformarse en superior, pero hay un par de métodos que hacen referencia directa a la relación con la mujer de su vida.

Otra idea más

Consulta la IDEA 52, *¿Eres sexualmente maduro?*, para comprobar tu grado de evolución respecto al otro.

Sabrás que eres un hombre superior cuando dejes de intentar controlar las emociones de la mujer y comiences a escucharla. Harás todo lo que puedas por entender sus sentimientos y no huir de ellos. No le darás consejos inútiles cuando te pida que le prestes tu hombro para llorar, simplemente la abrazarás. La harás reír bastante. Eres un hombre. Escuchas, sacas tus conclusiones y después haces lo que crees que es mejor. Siempre haces lo que has dicho que ibas a hacer. Y cuando no lo haces, lo asumes y aceptas tu responsabilidad. Prestas atención a tu pareja. Sabes que dedicarle treinta minutos completamente concentrado en su mundo es más importante que cuatro horas sin prestarle la suficiente atención mirando al vacío. ¿Vas entendiendo?

Las ideas de Deida no son aplicables a todo el mundo, pero he entrevistado a parejas para las que han funcionado realmente bien. Como miembros de la pareja son iguales, pero aceptan que los sexos son diferentes y que un hombre y una mujer no pueden ser todo en la vida para el otro. Las ideas de Deida abren un camino para negociar las contradicciones entre ser un «buen tipo» y ser un «hombre nuevo», contra las que luchan cientos de hombres hoy en día. Por supuesto, sólo si eres capaz de manejar el lenguaje de la Nueva Era.

La frase

«Tanto las mujeres como los hombres son bisexuales en el sentido psicológico. Debo concluir que eres tú mismo el que decides que *activo* empareja con *masculino* y *pasivo* con *femenino*. Pero esto es sólo una apreciación mía».

SIGMUND FREUD

¿Cuál es tu duda?

P   Vamos a ver si lo he entendido bien. ¿Tengo que vagar a su alrededor, como un «adorno», soportando su «búsqueda»?

R   *No, él puede ayudarte en la tuya. Las parejas pueden conectar completamente su polaridad y si esto funciona en tu caso y la polaridad esta ahí, pues estupendo. Pero la mayoría de nosotros conectamos dejando de lado la polaridad y el peligro surge cuando se espera de una mujer que soporte demasiada energía masculina y, debido a ello, no pueda conectar lo suficiente con su lado femenino. ¿Quién pone en duda que hoy en día muchas mujeres se encuentran confusas y aturdidas, que intentan abarcar demasiado y que desahogan sus frustraciones con sus hombres? Tus aspiraciones también son importantes. Pero para el bien de tu relación, debes mantener las diferencias y mantener tu «sentido de la independencia» y tu propia identidad.*

P   Y eso, ¿cómo se hace exactamente?

R   *Las mujeres deberían fomentar su feminidad siempre que les sea posible: bailando, con la música, practicando el yoga, saliendo con sus amigas y mediante el sexo orgásmico. Todo esto ayudará a tu esencia femenina y conseguir tiempo para ello debería ser una prioridad si deseas tener una relación de pareja fuerte y asentada. Tomar un largo y fantástico baño de espuma, vestirse de seda u otro tejido lujoso, tomar un masaje con aceites esenciales, escuchar tu música favorita, bailar cuando nadie te mira o contemplar las estrellas. Comparte todo el tiempo que puedas con buenas amigas que te apoyen, ya que muchas veces ellas verán mejor lo que necesitas que tú misma. Sin que sea necesario que lo pidas, tu pareja debe ayudarte de forma activa para que saques tiempo para todas estas cosas. Ésa es la forma de ser superior.*

40

Sexo tántrico

...no sólo consiste en quemar unos palitos de incienso frente a Buda.

Si no estás en absoluto de acuerdo con la idea de tu pareja de que los preliminares consisten en una palmadita en la espalda y en una mueca de simpatía, os ha llegado la hora del tántrico.

Para un estudiante del Tantra, el sexo es sagrado, un modo de acceder a su espiritualidad y una forma de meditar, trascender los problemas y alcanzar un estado de bendita felicidad. Incluso para aquellos que no tenemos el tiempo o el interés de estudiar el sexo tántrico en profundidad, también puede enriquecernos bastante. Su enseñanza sexual es importante y sacando un poco de tiempo para llevar a cabo un par de los rituales más simples os estaréis diciendo el uno al otro: «Eh, nuestra vida sexual es una prioridad para nosotros».

El sexo tántrico te ayuda a concentrarte en tu amante y en las sensaciones que estás experimentando. Olvida el orgasmo. Lo importante es el viaje, no el destino. Y sólo por esta razón, el Tantra puede ser liberador y cambiar tu mente, incluso aunque no aprendas la técnica completa.

RITUAL UNO: CREAR UN «TEMPLO DEL AMOR»

Un método realmente sencillo para practicar los preliminares es lograr que vuestro dormitorio tenga un ambiente sensual que sea completamente distinto del resto de la casa. No es necesario que elijas para ello estampados de leopardo ni que pintes las paredes de color negro (a menos que sea eso lo que os guste, claro), pero examina con detenimiento vuestro dormitorio como si lo vieras por primera vez. ¿Es una habitación que sugiere «amor», «pasión», «excitación»? ¿Es una habitación dedicada sólo a vosotros dos?

Una buena idea

Intenta soñar con bosques frondosos, música relajante y una rebosante cuenta corriente... Una vez que consigas situarte fuera de este mundo cruel, busca en Google «tántrico», pero activa tu bloqueador de contenido pornográfico al nivel máximo.

En primer lugar, piensa sobre lo que hay en el dormitorio. ¿Dirías que la televisión contribuye a mejorar vuestra vida amorosa? A menos que la utilicéis principalmente para ver pelis porno, lo más probable es que no sea así. Quizás pasáis más tiempo mirando la tele que hablando el uno con el otro. Si no queréis deshaceros de la tele, el hecho de cubrirla con un pañuelo para ocultarla será un signo de que estáis desconectando del mundo exterior. Lo mismo es aplicable a todo lo que os recuerde vuestras obligaciones: pilas de ropa esperando a que alguien las planche, fotografías de la familia, o cualquier cosa que se relacione con el trabajo. Reparad y limpiar los muebles viejos o gastados. Arreglad el desorden. Abrid de par en par las ventanas y dejad que el aire fresco circule. Esta habitación es un reflejo de vuestra relación, es el lugar en el que pasáis más tiempo juntos. Debería ser estupendo.

Finalmente, cread un altar del amor. Elegid una foto de los dos juntos que simbolice lo mejor de vuestra relación. Cuando la miréis, deberíais sentir cariño y cercanía hacia vuestra pareja así como la fuerza de vuestra unión. Colocadla en un precioso marco y en un lugar que podáis ver todos los días. Que siempre haya algunas flores frescas junto a ella y algunas velas (o cualquier cosa a la que tengas que prestar atención con regularidad); será un recordatorio físico de que vuestra relación necesita el mismo tipo de atención y de cuidados. Aseguraos de que en vuestro dormitorio haya luz tenue y que tengáis a mano el mando para poner música suave, cojines y almohadas confortables en las que podáis recostaros y de que el dormitorio mantenga siempre una temperatura agradable de forma que os podáis mover cómodos con poca ropa sin que os pongáis a temblar de frío.

Otra idea más

Consulta la IDEA 41, *Dentro, fuera, dentro, fuera*, para descubrir más ideas de tipo tántrico.

Nada de esto suena especialmente complicado, pero piensa por un momento en vuestro dormitorio y en el de algunos de vuestros amigos. ¿Cuántos de ellos se han diseñado teniendo en mente la sensualidad, el lujo, la comodidad y el *sexo*? Vuestro dormitorio debería ser un lugar acogedor para ambos, de manera que deseéis pasar vuestro tiempo en el único lugar donde la mayoría de las parejas pueden encontrar la verdadera intimidad y privacidad.

RITUAL DOS: CENTRAD VUESTRAS MENTES EN EL AMOR

El sexo tántrico se centra en la visualización como método para crear energía sexual. Cuando tu amante comienza a acariciarte, siente lo mucho que te ama. Imagina su amor hacia ti fluyendo de sus dedos y de sus manos y abrigándote. Sumérgete en su abrazo. Cuando te bese, siente que con cada beso te está demostrando cuánto te quiere. Imagina que la energía sexual que estáis creando entre los dos es visible como si fuera una luz roja o verde que emana de vuestros genitales y que os rodea como si fuera un campo de fuerza amoroso. Cuando tu pareja te toque, imagina que tu excitación crece como una gran onda de luz. Mírala como una llama o una especie de energía que emerge desde lo más profundo de tu pelvis y se añade al campo de fuerza rodeándote y dándote soporte. Cuando empieces a hacer el amor, imagina cómo la energía fluye desde la base de tu columna vertebral hasta tu corazón y piensa en ella como en la energía del amor que rodea tu corazón (tómalo como un juego) y siente cómo poco a poco alcanza y rodea el corazón de tu amante. Después, a medida que tu grado de excitación vaya aumentando, siente cómo la energía va saliendo y fluyendo por la parte superior de tu cabeza.

La frase

«La relación de un hombre y una mujer es como dos ríos que fluyen juntos, a veces se mezclan, a veces transcurren separados y viajan juntos. La relación implica un cambio profundo y un viaje de larga distancia».

D. H. LAWRENCE

Ése es el camino de la iluminación, pero exige un poco de práctica. Si te centras en lo positivo y te concentras en el flujo de energía, seguro que no pensarás en cuál de tus hijos tiene partido en el colegio al día siguiente.

¿Cuál es tu duda?

P   Está bien, pero no resulta muy especial. ¿Por qué?

R   *El sexo tántrico es una disciplina; con la práctica, las sensaciones van en aumento. Si crees en el concepto básico de que el sexo es una forma de profundizar y enriquecer tu vida, puedes investigar leyendo un buen libro sobre el tema.*

P   ¿Significa que puedes aguantar horas y horas?

R   *Eh… sí. Es una parte del tema. Con práctica, las parejas pueden dedicar al sexo horas si es lo que desean. Pero incluso Sting, el más famoso defensor del sexo tántrico, hizo una broma cuando dijo que al hablar de su sesión de seis horas de sexo había olvidado mencionar el tiempo dedicado a la cena y a ver una película. No te obsesiones mucho con el tema del tiempo. Ése no es el objetivo.*

41

Dentro fuera, dentro fuera

Respirar. Lo haces todos y cada uno de los minutos de tu vida. Y, chico, crees que sabes hacerlo estupendamente...

Con un mínimo esfuerzo, puedes convertir el sencillo acto de la respiración en una forma de aumentar el placer sexual y de sentirte más cerca de tu pareja. En definitiva, puedes hacerlo muchísimo más útil.

No existe ni una sola tradición sexual ni ningún gurú del sexo que no mencione la respiración. El hecho de respirar profundamente aumenta la cantidad de oxígeno que llega al cerebro y a los músculos, lo cual hace que aumente tu respuesta sexual y mejore la capacidad de relajación.

PRIMERO PIENSA EN LO PRIMERO

La próxima vez que tengas relaciones sexuales, respira normalmente y observa cómo lo haces. Olivia St Claire dice que la mayoría de las mujeres respiran de manera poco profunda mientras están haciendo el amor. Hacer respiraciones profundas intensifica las sensaciones, pero puede ser difícil de recordar a medida que te acercas al orgasmo. En ese momento, intenta hacer las respiraciones rápidas y profundas pero por la boca en lugar de por la nariz.

Los hombres también pueden aumentar su sensibilidad mediante la respiración profunda. Ambos podéis imaginar que estáis enviando oxígeno desde vuestros pulmones a vuestra zona pélvica. El hecho de concentrar vuestra atención en ese lugar a través de la respiración os ayudará a mejorar la excitación.

Una buena idea

Si te sientes agobiado, intenta utilizar las técnicas respiratorias para relajarte. Son las bases de cualquier tipo de meditación, además de algo imprescindible para mejorar el sexo.

LA RESPIRACIÓN «COMPLETA»

La respiración yógica consiste en respirar hondo, mantener el aire en los pulmones, expulsarlo y hacer una pausa antes de respirar de nuevo. Practícalo respirando en un tiempo, manteniendo el aire en cuatro y expulsándolo en dos y finalmente haciendo una pausa. Repítelo hasta que lo hagas de forma automática y natural.

CONCENTRACIÓN

En la tradición tántrica, la respiración interior se asocia con la energía y la exterior con la conciencia. Ésta es una buena base para practicar un poco de meditación antes de hacer el amor. Concentraos en acumular energía con cada respiración interior, con cada respiración exterior, y que esa concentración sirva para saber cómo os sentís en cada preciso momento.

La frase

«Hay un único antídoto válido para la angustia que siente la humanidad ante la evidencia de su inevitable muerte: el juego erótico».

BENEDIKT TASCHEN, EDITOR ALEMÁN

Idea 41. Dentro fuerta, dentro fuera

RESPIRAR AL UNÍSONO

Una vez me pidieron que escribiera un artículo sobre cómo mejorar la comunicación entre los amantes. Mi pareja y yo practicamos unas veinte técnicas para averiguar cuál se suponía que ayudaba a nuestra relación. Una consistía en tumbarse en la cama, unirse en forma de «cuchara» y simplemente respirar al mismo tiempo. Durante las dos semanas que duró nuestra «investigación», empleamos horas en escribir listas, charlar en profundidad, hacer el amor a horas extrañas y en extrañas posturas, darnos masajes el uno al otro e incluso probamos a asistir a una clase de salsa, pero probablemente nada funcionó de forma tan eficaz como el sencillo hecho de respirar juntos. Nada nos unió más. Intentadlo una vez al día (vale, de acuerdo, siempre que os acordéis…), en la cama o fuera de ella, con la ropa puesta o desnudos. Abrazaos el uno al otro y sincronizad vuestra respiración. Dejad que los pensamientos pasen por vuestra cabeza sin deteneros en ellos. Sólo estad el uno con el otro.

Otra idea más

Si quieres hacer del sexo algo más espiritual, consulta la IDEA 40, *Sexo tántrico*.

Aquellos que estéis interesados en este tema podéis intentar la respiración de corazón. Colocad las manos de forma plana sobre vuestro torso, entre los pechos (sobre la chakra del corazón). Cerrad los ojos. Ahora practicad la respiración que se describe anteriormente en el apartado *La respiración «completa»*. Imagina que estás recibiendo amor con cada inspiración y, mientras mantienes el aire en los pulmones, siente cómo invade todo tu cuerpo y tu espíritu. Al final, cuando expires imagina el aire dejando tu cuerpo como una onda de amor que envuelve y rodea a tu amante. Abre los ojos y observa a tu pareja mientras respiráis juntos.

La frase

«Tu respiración es un puente entre tu cuerpo, tus sentimientos y pensamientos, tu energía, tu pasado y tu presente. La forma en que respiramos afecta directamente a cada una de las células de nuestro cuerpo y también influye en cómo nos sentimos emocionalmente. De hecho, la respiración es un vehículo tanto para la expansión como para el éxtasis».

LEONORA LIGHTWOMAN, ESCRITORA Y PROFESORA TÁNTRICA

¿Cuál es tu duda?

P Muy relajante, pero ¿cómo mejora las relaciones sexuales?

R *Cuanto más relajado y «abierto» te encuentres, más cómodo te sentirás en tu cuerpo. Respirar profundamente y sentir tu cuerpo «lleno de amor» te ayuda a ser más consciente de tu sexualidad y de la de cualquier otra persona que se encuentre en la habitación. David Deida dice que la respiración es especialmente importante para las mujeres y que es una de las formas de mantener su polaridad femenina. Nos urge a que, tan frecuentemente como podamos (a ser posible, todos los días), «respiremos con el mismo placer con el que lo harías si el cuerpo de tu amante se apretara contra el tuyo». No resulta fácil, pero si trabajas en ello Deida promete que tanto «los hombres como las mujeres se sentirán atraídos hacia la profundidad que irradias». En otras palabras, te sentirás más sereno y menos estresado lo que, por supuesto, significa que estarás más atractivo que si tienes los nervios destrozados. Pero en serio, imaginar que estás relajado dentro de un amoroso abrazo durante el día, en especial cuando las cosas se ponen frenéticas, hace que pienses en tu amante, en el sexo, en los abrazos y en la cercanía física, es decir, en todas las cosas buenas de la vida. Y sí, aumenta tu libido.*

P Me siento mareado después de un rato. ¿Es normal?

R *Es la prueba de que lo estás haciendo bien. Estos ejercicios y otros similares constituyen la base de todas las tradiciones místicas. Debido a que la respiración es una cosa que no podemos olvidar, «trabajar con la respiración», básicamente siendo consciente de ella, se ha utilizado desde el principio de los tiempos como una forma de hacernos sentir que estamos vivos en este momento y no hay otro método mejor. Recuerda que ser consciente de uno mismo es una forma poderosa de apreciar la vida en general y a tu amante en particular.*

42

Pequeños secretos obscenos

Por qué todas las parejas necesitan tener algunos.

Piensa en las mejores vacaciones que hayáis pasado juntos. Todos esos recuerdos compartidos quizás no sirvan de nada, pero al menos te hacen esbozar una sonrisa. Y nadie excepto vosotros dos entendería por qué. Este capítulo trata del equivalente sexual de las vacaciones perfectas.

Lo que pretendes hacer es crear un fuerte vínculo entre los dos de la manera más sencilla posible. Sabes cosas sobre tu pareja que nadie más sabe. Bueno, de acuerdo, los dos tenéis secretos y sabéis cientos y cientos de cosas que nadie más sabe. Pero os sentiréis más unidos si compartís secretos sexuales. Esto se debe a que hacéis hincapié en que vuestra relación es única, *nadie excepto vosotros dos* conoce esos secretos. Y por supuesto, crear estos secretos es increíblemente divertido.

Un buen ejemplo de creación de un secreto sexual es rasuraros el uno al otro el vello púbico. Esto resulta ligeramente impactante, aunque Dios sabe por qué la ubicuidad de la cera brasileña deja a ambos sexos como unos auténticos desconocidos sin el vello púbico. Además de lo agradable que resulta la fricción, existe una razón práctica para intentar el afeitado. La carencia de vello aumenta las sensaciones, especialmente en lo que se refiere al sexo oral. Además, cuando estéis en una habitación abarrotada de gente, tú serás la única persona que sepa por qué se remueve en la silla debido a que el pelo está comenzando a crecer de nuevo. A pesar del picor, es muy importante probarlo al menos una vez, ya que redefine el concepto de «intimidad». Primero recórtalo con unas tijeras pequeñas (comprobarás por qué resulta un acto tan íntimo), después lávalo y suavízalo con acondicionador para el pelo. A continuación aplica espuma de afeitar con generosidad y usa una maquinilla desechable para afeitar el pelo. Utiliza los dedos para alisar superficies más difíciles como los labios. Señoras, pedidle consejo a vuestros hombres que saben más de afeitado que vosotras. Puedes experimentar con una forma de corazón o con iniciales si no quieres eliminar todo el vello. Aplica una loción hipoalergénica después para calmar la piel, lo que también ayudará a calmar el picor cuando el pelo crezca de nuevo.

Una buena idea

Cread nuevos secretos sexuales. Hablad sobre los antiguos que ya habéis compartido. Bajo ningún concepto os contéis aventuras sexuales que hayáis mantenido con otras parejas. Esto rompería todo el ejercicio.

Otra buena idea es utilizar objetos de la vida diaria para un uso obsceno. Por ejemplo, utilizar la barra de labios para dibujar sobre el pene, los pezones o los labios. Después puedes succionar y chupar a tu pareja en la parte en que hayas dibujado. Nunca más escucharéis las palabras «barra de labios» sin miraros uno al otro con complicidad.

Otra cosa que podéis intentar es poneros la ropa interior del otro para ir a trabajar. Para las mujeres, ponerse unos boxers debajo de la falda deja que el aire corra libremente por lugares a donde nunca llegaría de otra manera y consigue que te sientas más abierta en todos los sentidos. Para los hombres, la sensación de constricción que consiguen unas medias femeninas debajo de vuestro traje puede ser muy excitante, sin dejar atrás la cantidad de asociaciones e ideas que pasarán por tu cabeza a lo largo del día.

Otra idea más

Debes persuadir a tu pareja. Lee la IDEA 16, *Piensa diferente*.

Tomad este ejemplo como punto de partida y jugad con el intercambio de ropa. Vestíos con la ropa del otro para ir a la cama. Puede que te guste o que lo odies, pero en el caso de que te agrade te sorprenderás porque cada vez te irá gustando más con la práctica. De manera especial, los hombres tienen que romper ese gran tabú heterosexual (vestirse de mujer) lo cual será una experiencia muy liberadora. Recuerda, nadie lo sabe excepto vosotros.

¿Necesitáis más inspiración? Id a una playa naturista, inventaos un espectáculo porno, haceos fotografías desnudos, o haced el amor en las escaleras de la biblioteca municipal (¡practicad el rapidito!). Un poco arriesgado, pero dibujará una sonrisa en vuestro rostro hasta cuando estéis en la cola del supermercado.

Y, por supuesto, nunca rompas la primera regla de los secretos. No lo cuentes. Nunca.

La frase

«La verdadera fuente de la juventud es poseer una mente obscena».

JERRY HALL, ACTRIZ Y MODELO

Mejor sexo

¿Cuál es tu duda?

P Nada de lo que sugieres nos atrae especialmente. Quizás no nos vaya esto de los secretitos. ¿Alguna idea más?

R *De todas las ideas que se incluyen en este libro, ésta es la que tiene más potencial para haceros sentir ridículos. El sexo nos hace vulnerables y por eso tiene esa capacidad para hacernos sentir ridículos. Si estás a cero con la inspiración, te sugiero que pienses en alguien que se siente a tu lado en el trabajo o en algún amigo. Después imagina que sabe algo sexual sobre ti que te hace morirte de vergüenza. No tienes que haberlo hecho necesariamente, sólo haberlo leído o visto en algún sitio. ¿Se te ocurre alguien? Pues pruébalo. Ése es el fundamento de los secretos. Algo de nuestras vidas sexuales que no desearíamos que nadie supiera, pero que compartimos totalmente con nuestro amante. Y esto resulta muy sexy. Un tanto retorcido, pero sexy.*

P Me gusta que mi esposa me cuente sus secretos sexuales, eso me excita. Pero no me gusta tanto la idea de tenerlos en común con ella, me parece un tanto infantil. ¿Estoy siendo egoísta?

R *Puede ser que necesites trabajar un poco tu madurez sexual. Parece que tu esposa está dispuesta a compartir sus secretos (lo cual debe constituir un gran esfuerzo para ella), así que quizás deberías intentarlo con más fuerza para hacer lo mismo por ella.*

43

Simplemente di "No"

Se puede decir solamente «no» o decirlo de forma amable. Dos cosas completamente diferentes.

Todas las relaciones pasan por desiertos sexuales cuando algún miembro del juego abandona temporalmente la partida. Aquí encontrarás cómo comportarte para que nadie se sienta especialmente herido.

En ocasiones, lo único que deseamos es decir no. Puede ser que estemos demasiado cansados. Quizás nos sentimos tristes o estamos preocupados por algún asunto. Si tu pareja se acerca y tienes dudas sobre si te apetece o no, te sugiero que lo intentes para ver si aumentan tus ganas (con su ayuda, por supuesto). Si, a pesar de intentarlo, te das cuenta de que la lujuria no te invade, todo lo que puedes hacer es mirarla directamente a los ojos y decirle «Lo siento, hoy no parece que esto funcione, pero te prometo que lo haremos mañana». La mayoría de los terapeutas sexuales están de acuerdo en que el rechazo es mucho más fácil de asimilar si se da la impresión de que sólo se está posponiendo. Como premio de consolación y para darle a tu pareja el contacto humano que todos ansiamos (que fue lo que probablemente hizo que se acercara a ti), puedes abrazar a tu pareja mientras se masturba hasta el orgasmo. (Y si no os sentís cómodos masturbándoos delante del otro, quizás deberéis plantearos por qué os sucede. Es un hábito muy útil).

Pero, ¿qué pasa si sabes que el día siguiente tampoco vais a practicar el sexo? ¿Qué pasa si esta situación se prolonga? Un desierto sexual genuino en el que pasan meses y meses y en el que no hay mucho que negociar es como comprar un mapa y un compás y situar un continente desconocido. Primero piensa en lo primero. ¿Los dos queréis dejar el desierto y encontrar vuestro oasis?

Una buena idea

Si tú y tu pareja no mantenéis relaciones durante un mes completo, sentaos, miraros a los ojos y preguntaos por qué. Cuanto más tiempo paséis sin practicar el sexo, más fácil os resultará pasar sin él. Cuando más lo hagáis, más querréis hacerlo.

¿»SÍ» AL OASIS?

¿Tenéis alguno de los dos alguna razón médica para no practicar el sexo? ¿Quizás es que alguno estáis atravesando la crisis de los cuarenta? Afrontadlo y haced lo que se explica a continuación.

«NO» AL OASIS

Difícil situación. Has dejado el sexo. Ya no te gusta tu pareja. Ni siquiera te molestas en intentarlo. Simplemente no quieres hacerlo cuando ella se acerca.

Otra idea más

Si es tu pareja la que te rechaza, lee la IDEA 12, *El amor está aquí, pero la lujuria ha desertado.*

No dejes que el sexo te abandone por completo y concierta un compromiso. Decide un momento en que tengas fuerzas y después haz todo lo posible porque se despierten tus ganas: algo así como un baño, una cena deliciosa, velas o una charla. Divertíos juntos. No esperes una lujuria

arrebatadora, estar preparado para un acercamiento será suficiente. Si ha pasado mucho tiempo y te sientes un poco nervioso ante la idea de tener relaciones sexuales, vuelve a lo fundamental. No importa lo que hagáis siempre que estéis próximos físicamente. Estar físicamente juntos sin practicar el sexo con penetración puede encender tu libido. De hecho, cuando hayáis pasado algo de tiempo juntos, necesitaréis esta proximidad física para comenzar a sentir el deseo. En otras palabras, si te dedicas a esperar que una ola de lujuria te invada, puedes esperar sentado, porque esperarás mucho tiempo. Comienza a tener sexo y deja que la madre naturaleza haga el resto.

Otra idea más

¿No te preocupa el sexo en absoluto?, entonces consulta la IDEA 9, *Supérate a ti mismo*.

La conclusión es que si no te planteas poner todo de tu parte para que tú y tu pareja recuperéis el gusto por el sexo, entonces eres un amante terrible. ¿Quién va a querer a alguien que ni siquiera lo intenta? Es duro, pero es cierto. Quizás estás en lo cierto cuando das por supuesta la constancia que tu amante demuestra incluso cuando lo rechazas, confiando en que está loco/a por ti. Pero probablemente esto le lleve a sentirse deprimido y a perder la confianza, rasgos ambos con los que resulta difícil convivir e improbable que quieras soportar. Mantener tu vida sexual activa es tan importante como en el caso de tu salud mental y la de tu pareja.

La frase

«El matrimonio, para que sobreviva, debe ser considerado siempre como un comienzo, no como un final feliz».

FEDERICO FELLINI

Mejor sexo

P He estado merodeando por el desierto sexual desde que nacieron nuestros hijos y no hay ningún oasis a la vista. ¿Cuánto tiempo tiene que pasar antes de que llegue la caravana de camellos?

R *En este asunto suele haber dos problemas. El primero es que ninguno de los dos estáis dando prioridad al sexo, probablemente debido a los niños. Es el momento de hablarlo en profundidad. Personalmente, pienso que aunque los padres se sientan felices entregando toda su vida a sus hijos, estos sacrificios rara vez son necesarios para que éstos crezcan sanos y felices. Si estás sacrificando tu relación por tus hijos, es tu decisión, pero probablemente sea la equivocada.*

P Le he dicho a mi pareja cantidad de veces que para tener ganas de sexo necesito hablar un poco antes, un montón de preliminares, algo que me excite. Entonces ¿por qué demonios insiste en asaltarme cuando estoy sacando el lavaplatos, murmurando «vamos a divertirnos un poquito» como un viejo verde y después se enfada cuando lo aparto?

R *Probablemente él odia toda tu parafernalia de seducción. Esto no es una cuestión de sexo. Está resentido porque siempre tengas que elegir cuándo y cómo tener sexo. Hay una lucha entre vosotros que se activa en el campo de batalla cercano a tu lavaplatos. A tu pareja le encantaría un rapidito de vez en cuando y no sabe cómo pedírtelo. ¿Sería el fin del mundo si cedieras? No pasa nada porque cedas de vez en cuando. Sólo está forzando la situación porque cree que si lo intenta cincuenta veces ¡tendrá suerte al menos en una de ellas! Y entonces se sentirá afortunado de nuevo.*

44

No todo está en tu cabeza

Si no te apetece tener relaciones sexuales, quizás haya llegado el momento de ir al médico.

El funcionamiento de nuestro cuerpo puede afectar a nuestra libido más de lo que admitimos.

Es rara la persona que mantiene durante toda su vida el mismo nivel de brío sexual. El dinero, nuestro estilo de vida, los niveles de confianza y cualquier tratamiento que nos recete nuestro médico afecta a nuestro deseo sexual más de lo que pensamos. Pero lo que más afecta a nuestra libido de todo es el cambio hormonal. Las hormonas determinan muchas cosas en nuestra vida, desde cómo estamos de atractivos (las mujeres suelen estar más guapas cuando ovulan) hasta el tipo de películas que nos apetece ver (los padres primerizos de ambos sexos rechazan las películas de guerra).

Por eso resulta tan extraño que cuando no tenemos apetito sexual no vayamos derechos a ver al médico. Y lo que es incluso más extraño es lo poco habituados que están los médicos a que los visitemos por este motivo. No los estoy criticando, sé que tienen pocos recursos y que es normal que se ocupen más de un paciente que tiene cáncer que de otro al que no le ha apetecido tener relaciones sexuales durante un mes. Así que tienes que realizar un montón de investigación médica si crees que es tu salud lo que está afectando a tu vida sexual. Internet es un medio estupendo siempre que no te distraigas con todos los aparatos que prometen alargarte el pene.

Disponemos de poco espacio, pero este capítulo está orientado a facilitarte unas cuantas ideas para iniciarte en el descubrimiento de hacer un *vis-a-vis* con tu cuerpo y a proporcionarte algunas palabras clave para entrar en el buscador. «Quiero practicar más el sexo» no es una gran frase para teclear en Google a no ser que quieras tener detrás a un montón de hombres de Albacete que insisten en conocerte.

Una buena idea

Una falta de deseo es uno de los síntomas más evidentes de una depresión. También es un efecto secundario de los antidepresivos. En caso de sufrir una depresión de suave a moderada, el ejercicio ha demostrado ser tan efectivo como la medicación y puede ser una buena idea intentarlo en serio.

¿ESTÁS TOMANDO ALGUNA MEDICACIÓN?

Si es así, no es necesario que acudas a ver a tu médico de cabecera. Muchos tipos de pastillas, incluidas las específicas del corazón y para la depresión pueden hacer que tu libido descienda. Algunas píldoras anticonceptivas producen el mismo efecto. Tu médico de cabecera puede cambiar la medicación, pero si quieres que lo haga tendrás que explicarle por qué supone un problema.

TIENES UN HIJO

La teoría es que las mujeres dejan de tener apetito sexual porque tienen que concentrarse en criar a un niño antes de concebir otro. Mi teoría es que es su propia supervivencia la que entra en juego. No creas en esos libros que te dicen que te recuperarás en seis semanas; pero tampoco te llevará dos años. Dicho esto, muchas mujeres dejan el sexo durante años, literalmente, después de dar a luz y se apodera de ellas una inercia física y psicológica. Echa un vistazo de nuevo a este libro y usa todos los trucos para levantar tu libido del suelo.

Si eres un hombre que ha dejado de tener ganas de tener relaciones sexuales después de que hayan nacido tus hijos, podemos apuntar dos cosas: puedes ser un tremendo productor de una hormona que tiene el efecto de suprimir la testosterona en los nuevos padres y te hacen estar contento de vagar alrededor de tu esposa y mantenerte vigilante «en la habitación de al lado», siguiendo un poco el ejemplo de lo que hacía tu padre. En este caso, tu libido volverá. También puede ocurrir que experimentes  una profunda preocupación psicológica o algún trauma respecto a la figura de la madre. Si éste es tu caso, necesitas ir a terapia.

Otra idea más

Lee la IDEA 49, *Convivir con el agotamiento*. La mente puede afectar al cuerpo de forma profunda. Quizás sea tu estado mental lo que está interfiriendo en vuestra relación.

TIENES UNA CIERTA EDAD

Con esto, me refiero a todos los que tengan más de treinta y cinco años. Para las mujeres, se acerca la menopausia. Su balance hormonal se altera y aunque algunas mujeres no experimentan nada, otras se sienten olvidadizas, irritables, con el humor cambiante y, por supuesto, menos interesadas en el sexo. Tu médico de cabecera te puede recetar una terapia hormonal sustitutoria, pero quizás no te apetezca mucho la idea. Hay miles de remedios naturales (de hierbas) que pueden ayudarte a conservar tu libido en los años previos y posteriores a la menopausia. Prueba con el cohosh negro (cimicifuga racemosa) o con el trébol rojo.

La frase

«Una vez hice el amor durante una hora y quince minutos. Pero fue el día que cambiaron la hora».

GARY SHANDLING, HUMORISTA AMERICANO

¿Cuál es tu duda?

P ¿Experimentan los hombres algo parecido a una menopausia masculina?

R *Parece que algunos sí, la llamada andropausia. De todas formas no se ha probado que exista médicamente. Lo que sí se ha demostrado es que la medicación con testosterona ayuda a algunos hombres a recuperar su libido además del interés por la vida en general.*

P ¿Me ayudará la Viagra a recuperar mi libido?

R *Puede ser, pero el consumo de Viagra no está exento de problemas. Uno de los problemas más obvios es que en una relación en la que el hombre tiene problemas de erección, su súbito priapismo y su nuevo comportamiento puede causar algunos problemas en la pareja. Lee el prospecto con detenimiento y consúltalo con tu médico y con tu esposa.*

P He ganado un montón de peso y creo que esa es la razón por la cual he perdido el deseo sexual.

R *Puede ser, pero el aumento de peso puede ser el síntoma de una enfermedad que sea lo que realmente esté causando la ausencia de deseo. Una descompensación de las hormonas tiroideas puede ser la causa. También puede ser la diabetes o la menopausia. Ve a que el médico te haga un chequeo y consúltale el problema de la libido además del aumento de peso.*

45

Presiona (no en el mal sentido...)

O sí; si a ti te gusta, pues perfecto.

Para la mayoría, el coito es la cumbre de las relaciones sexuales. Bueno, de acuerdo, para la mayoría el sexo es algo más que un aperitivo rápido. Pero para aquellas ocasiones en las que (siguiendo la metáfora de la comida) te apetezca darte un gran banquete, el masaje será perfecto.

No es necesario que seáis totalmente conscientes de que os estáis dando masajes el uno al otro. No tiene que ser un masaje profesional; podéis suplir la falta de conocimientos teóricos con lo que podemos llamar «intención amorosa»; tu total concentración en la relajación y el placer de tu pareja conseguirán que sea maravilloso.

En primer lugar, selecciona el aceite. Puedes comprar aceites de masaje ya mezclados o preparar el tuyo propio añadiendo ocho gotas del aceite o la mezcla de aceites que elijas a una base de tres cucharadas de café y aceite de almendras. Algunos aceites adecuados para el masaje son el de geranio, que es estimulante; el de lavanda, relajante y calmante; sándalo, cálido y excitante; ylan ylan, que es sensual y erótico. Aplicar la correcta combinación de aceites mientras haces el masaje realzará la experiencia para tu amante.

Elige un lugar cálido y cómodo de tu casa. Pon alguna música ligera y suaviza la iluminación. Tomad una ducha o un baño juntos. El masajista (o la masajista) debe vestirse con ropa confortable y ligera y hacer que su amante se tumbe en una postura agradable.

Una buena idea

Mantened vuestras pieles en contacto cuando practiquéis el masaje. Coloca la mano ahuecada en la espalda de tu pareja mientras viertes un poco más de aceite de forma que la espalda nunca pierda el contacto con tu mano.

Toma un poco de aceite —deberías tener una buena cantidad a mano— y caliéntalo entre las palmas de tus manos. Comienza a extender el aceite por la espalda de tu pareja. Haz movimientos firmes sobre los músculos de los hombros y después trabaja los lados hasta la base de la columna vertebral para a continuación ir subiendo con las yemas de los pulgares. Inclínate sobre el cuerpo de tu amante pero sólo aplica presión en las partes donde haya carne, excepto en la barriga. No apliques presión en las partes huesudas.

Continúa con movimientos amplios y altérnalos con presiones suaves a lo largo de toda la espalda, las nalgas y la parte posterior de las piernas. Hazle caricias a lo largo de los brazos y estira suavemente de cada uno de sus dedos. Prueba con diferentes presiones. Utiliza los puños para hacer movimientos más fuertes sobre las nalgas. Sopla ligeramente toda la espalda. Después pasa las puntas de los dedos presionando con suavidad.

No te preocupes por tu técnica, sólo concéntrate en el cuerpo de tu amante y en proporcionarle placer. Pídele que te diga cómo se siente. Por ejemplo, ¿prefiere los movimientos suaves o los más fuertes? Pero no habléis demasiado. Permítele que se relaje al máximo durante el masaje.

Pídele a tu pareja que se dé la vuelta. Sujétale la cabeza entre tus rodillas y dale un masaje en la cara; es particularmente relajante. Pero no presiones mucho el estómago. No toques directamente sus genitales, limítate a rozarlos (los aceites pueden irritar las zonas más sensibles). De cualquier forma, el objetivo es que los dos experimentéis un placer sensual no necesariamente sexual. Observa cómo se siente tu pareja. ¿Te da la impresión de que se está excitando? ¿O está tan relajado que sólo le apetece acurrucarse en tus brazos y quedarse dormido? Si no estás seguro, pregúntaselo para que vuestras intenciones no difieran. Dejarle claro que esperar practicar el sexo en recompensa al masaje no sería muy educado.

Otra idea más

Explora tu potencial táctil leyendo la IDEA 13, *Descubre el placer del tacto*.

UN ATAJO HACIA LA FELICIDAD

Si no tienes tiempo para realizar un masaje completo, practícalo sólo en los pies.

Prepara un baño para los pies de tu pareja. Unas pocas gotas de aceite de menta en el agua los refrescan de forma instantánea y los preparan para ti. Pídele que se siente mientras te arrodillas delante de él con una toalla sobre tus rodillas para secarlos. Masajea con aceite uno de ellos. Aplica presión por la planta del pie de forma sistemática utilizando los pulgares. Presta especial atención a las partes carnosas del tobillo y tira suavemente de ellos y haz que roten de forma ligera. Si te sientes particularmente generoso, limpia el aceite de las uñas de tu pareja y hazle la pedicura (sí, a los hombres también). Señores, pintar las uñas de tu pareja significará que ella recordará tu estupendo masaje cada vez que se las mire, una forma muy sencilla de ganar puntos.

La frase

«Para los amantes, tocarse es una metamorfosis. Todas las partes de sus cuerpos parecen cambiar y parecen ser diferentes y mejores».

JOHN CHEEVER, ESCRITOR AMERICANO

¿Cuál es tu duda?

P   Normalmente no tenemos tiempo para el masaje completo. ¿Alguna sugerencia?

R   *Puedes utilizar la acupresión mientras estéis teniendo relaciones para aumentar el placer sexual de tu amante. La antigua técnica china que presiona en puntos clave es como un masaje concentrado que relaja la tensión y prepara para el placer. Una presión directa sobre el pene o sobre el clítoris activa ciertos puntos que están ligados al aumento de la energía sexual y además consigue excitar antes a tu amante. Hay una serie de tres puntos en la parte delantera de los muslos, en el pliegue que une el muslo con el pubis. La presión aquí aumenta la sensibilidad, especialmente cuando estás practicando el sexo oral. Imagina también que hay una línea invisible entre el área púbica y las caderas. Hacer pequeñas presiones a lo largo de ella incrementa las sensaciones en los genitales. Alterna la presión y la relajación y no mantengas la presión en estos puntos durante demasiado tiempo.*

P   Los masajes me hacen cosquillas y me distraigo. ¿Tienes algún consejo?

R   *Es necesario que tu amante presione con más fuerza. Pídeselo. Ve guiándole hasta que recibas el nivel de presión que necesitas.*

P   ¿Por qué no me gusta dar masajes? Tampoco me gusta mucho recibirlos…

R   *Puede haber miles de razones para ello, pero para abreviar, mejor vamos a las posibles soluciones, ¿de acuerdo? Quizás lo que te pasa es que te da vergüenza. Intenta con la fantasía del dios/diosa y el sacerdote/sacerdotisa. Si estás recibiendo el masaje, serás el dios/diosa y es un gran placer para ti que tu sacerdote/sacerdotisa te sirva de esta manera. Si lo das, serás el sacerdote/sacerdotisa que disfruta sirviendo a su deidad. Olvídate de tus pensamientos y concéntrate en lo físico.*

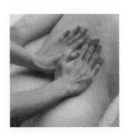

46

Espera. ¡Te digo que esperes!

Retrasa tus orgasmos (también conocido como _peaking_ — _llegar a la cima_) y conocerás el verdadero significado de «escalar montañas».

¿Hay alguna mujer en el mundo que al aproximarse al orgasmo no haya gritado: «No pares, por todos los Santos, no pares»? Uno de los temores femeninos más recurrentes es cuando está llegando y él cambia el ritmo, todo parece desdibujarse y ella no puede llegar al final.

De esta forma, cuando una mujer se siente al borde del orgasmo debe precipitarse hacia él. Le cuesta trabajo llegar y lo quiere ya. Pero hay otras formas de que ella llegue. Cuando esté llegando al orgasmo, puede ralentizar el ritmo, relajarse, respirar profundamente, esperar un momento y después dejar que la tensión comience de nuevo. Experimenta con este proceso (mientras te masturbas o cuando estás con tu pareja) para descubrir cuánto tiempo tienes que parar-empezar, parar-empezar para conseguir los orgasmos más explosivos. Cuando te permitas a ti misma llegar al orgasmo, tensa las nalgas y la parte interior de los muslos, respira profundamente y presiona justo sobre el hueso del pubis, lo que conseguirá que aumente la presión sanguínea y prolongará las sensaciones.

Una buena idea

Prueba el juego en el que os dais aceite el uno al otro e intentáis que vuestra pareja consiga el orgasmo utilizando alguna parte del cuerpo distinta de la habitual (¿voluntarios para un trabajito cubano?).

NO SÓLO PARA LAS CHICAS

Muchos sabios de Oriente recomiendan la «inyaculación», un método mediante el que los hombres pueden experimentar múltiples orgasmos «llegando» sin eyacular. Esto significa que puede repetir, experimentar múltiples orgasmos y, por supuesto, aguantar durante más tiempo.

Otra idea más

Combina esto con la IDEA 45, *Presiona (no en el mal sentido)...*

¿Cómo se logra? Hazlo como siempre hasta que estés justo en el punto de «no retorno». Entonces, rápidamente tú o tu pareja aplicas presión (bastante fuerte) en tu perineo, situado en el espacio entre el ano y la base del pene. Esto hace que se presione la uretra y se frene la eyaculación, aunque todavía podrás experimentar una profunda sensación de placer. Y todavía deberías tener fuerzas y estar dispuesto a intentarlo otra vez. Y conseguirlo, por supuesto.

A algunos hombres les encanta. A otros no. Entre aquellos a los que no les gusta está Grant Stoddard, al cual Em y Lo llaman *El Big Bang*: «El camino hacia el orgasmo es momentáneamente más intenso de lo habitual. Soy consciente de que puedo volver a hacerlo y a hacerlo hasta que me aburro y me siento un poco deprimido. Lo realmente impactante viene cuando voy al baño y descubro que mi pis tiene más espuma que un barril de cerveza. En otras palabras, me he corrido en la vejiga. Y esto es muy desagradable».

Pero funciona.

Idea 46. Espera. ¡Te digo que esperes!

La frase

«Hice un estupendo descubrimiento la otra noche. Pestañear en su clít... puede hacer que se quede con los ojos bien abiertos en poco tiempo».

DAN JENKINS, ESCRITOR AMERICANO

¿Cuál es tu duda?

P ¿Qué pasa con el orgasmo múltiple femenino?

R *En teoría, si una mujer alcanza el orgasmo una vez puede hacerlo múltiples veces. Es una creencia muy común la de que justo después de que una mujer haya tenido un orgasmo puede soportar que le vuelvan a tocar el clítoris. A veces es cierto, pero no siempre. Experimenta con diferentes técnicas durante la masturbación. Intenta un movimiento distinto con la mano después del orgasmo o, si estás utilizando un vibrador, inténtalo con otras zonas erógenas de tu cuerpo. Mantén una estimulación constante, pero variada. Una vez que te hayas hecho con esta técnica, mastúrbate hasta el orgasmo y deja de masturbarte por completo después del primer orgasmo. Espera treinta segundos y aplica al clítoris la misma estimulación de nuevo. Acorta el periodo de espera hasta que puedas mantener una estimulación constante sin sentirte incómoda y la experiencia de un orgasmo tras otro llegará sola.*

P ¿Hay alguna forma de practicarlo juntos?

R *Puedes hacerlo mediante el orgasmo mixto. Esto significa aplicar estimulación en diferentes puntos de placer de manera que la excitación aumente. Él puede estimular su punto G y ella su perineo, uno después del otro, rotando. Ella puede alternar la estimulación de la cabeza de su pene, del pene y la próstata. Lleva tiempo pero debería resultar en un gran retraso, en una dulce mezcla de intenso placer y en un estupendo orgasmo cuando ambos lleguéis al orgasmo.*

201

47

Desarrolla una mística sexual

Sí, es posible. Incluso cuando habéis compartido el baño durante años.

La otra noche tuve un momento de desesperación. Entraba en un bar cuando escuché a un hombre decir a su acompañante (masculino) «Entonces, adivina. ¿Cuántos disparos claros hizo Portugal antes de marcar el gol?».

Evidentemente, era aburrido hasta para su acompañante pero yo pensé: «Aquí estoy trabajando modestamente en que los diferentes sexos se entiendan mejor y me encuentro con que es una pérdida total de tiempo. ¿Hombres y mujeres? Especies diferentes. ¿Esa es la clave?

Entonces, me abordó mi espíritu de Poliana: «Diferencias, ¿sabes qué? Eso es lo bueno. De hecho, si quieres mantener viva tu vida amorosa, hay una cosa esencial. Conseguir divertir a tu pareja y que ella te divierta a ti; necesitáis que haya entre ambos un poco de distancia, un poco de misterio y un alma un poco salvaje».

Y si todo esto no sale de forma natural, debes trabajar en ello.

«Los hombres y las mujeres son distintos», dice la consejera matrimonial Paula May. «Y hemos aprendido desde los sesenta que si una pareja desea mantener una relación estable es importante trabajar para mantener esa diferencia. Es lo que mantiene la electricidad entre ellos». Señala que los estudios realizados por los psicólogos han alertado sobre los peligros de parecerse demasiado. «Lo llamamos 'enmallamiento' cuando los miembros de una pareja comienzan a parecerse demasiado», dice May. «Se sabe desde hace tiempo que puede provocar una disminución en el deseo sexual».

Una buena idea

Adquiere el hábito de dedicarte una noche sólo a ti una vez a la semana, sin importar lo ocupado que estés. Recuerda, pasar demasiado tiempo en casa juntos es terrible para vuestra vida amorosa.

Probablemente pensarás que es muy agradable compartir los mismos intereses, amigos, esperanzas, sueños y gustos en cuando a los muebles de la casa. Y lo es. Felicidades. Sois unos compañeros estupendos. Y funciona estupendamente si lo que quieres es una relación sin emociones especiales y sin unas relaciones sexuales plenas. Sin embargo, si lo que quieres es que el sexo haga que se te curven los dedos de los pies, tendrás que separarte un poco para mantener vivo el deseo.

Podéis llegar al máximo como compañeros, pero no como amantes.

Conseguirlo es un arte. Una mujer a la que entrevisté seguía la táctica de hacerse la interesante con su marido cada tres o cuatro meses aproximadamente. «Nada muy serio», decía, «Sólo desconecto un poco. Me muestro un poco menos fácil de complacer. Un poco más interesada en hablar con mis amigos por teléfono. Me encierro en el cuarto de baño. Me sumerjo en la lectura de un libro. Cosas muy triviales. Pero funciona como la seda. En menos de una semana, está haciéndome sugerencias como la de pasar un fin de semana en París y contratando él mismo a la canguro para ir a cenar fuera». (No puedo resistirme a recordar aquí a los hombres el tremendo potencial afrodisíaco de contratar a una canguro. En la mayoría de las relaciones, trabaje o no la mujer fuera de casa, ella carga con todo el trabajo de los niños y resulta tremendamente

gratificante que tu pareja te releve de vez en cuando; además es un claro signo de que le apetece pasar algo de tiempo a solas contigo. Probadlo).

Otra idea más

Lee la IDEA 22, *Confianza sexual*, para obtener más sugerencias sobre cómo recuperar la autoestima y la individualidad.

Toda esta parafernalia se parece un poco a un juego y ¡de hecho lo es! Puedes afrontarlo como mi entrevistada, pero tengo que decirte que no siempre funciona. Lo que sí funciona siempre es que los dos miembros de la pareja lo hagan en serio, que mantengan el interés por su propia vida, que se muestren llenos de vitalidad y de entusiasmo por otros proyectos, que mantengan su compromiso con el resto de personas de su vida y, en fin, que muestren su pasión por el mundo. Entonces, y aquí viene lo realmente importante, llevarán también toda esa energía a casa y volcarán su pasión el uno en el otro. Lo consiguen hablando de sus vidas con tal entusiasmo que sus parejas no pueden resistir la idea de unirse a esa personalidad tan apasionada e inteligente.

La frase

«Una ausencia, el rechazo de una invitación a cenar, un desprecio no intencionado e inconsciente es más efectivo que toda la cosmética y la ropa bonita del mundo».

MARCEL PROUST

LO ÚLTIMO QUE DEBES HACER

La psicóloga especialista en relaciones de pareja Susan Quilliam afirma que hay formas muy directas de asegurarte de que tu relación no cae en ese pozo de 'enmallamiento'.

Regla 1. Todas las parejas siguen el patrón de hacer siempre lo mismo y de no sugerir nada nuevo porque temen que el otro miembro les conteste «nosotros no hacemos eso». Pero si te apetece hacer algo diferente, sugiérelo de todas formas. No discutas si te contestan «no». Ya has dado el paso. Ya has reforzado en las cabezas de ambos un sentimiento de individualidad.

Regla 2. Apoya al máximo a tu pareja cuando muestre su individualidad. No rechaces nuevas ideas e intereses sin pensar detenidamente en ellos primero.

Regla 3. Sé tú mismo. No les des menos importancia a sus intereses o aficiones que a los tuyos. Somos iguales pero no lo mismo.

Idea 47. Desarrolla una mística sexual

¿Cuál es tu duda?

P   Mi pareja pasa horas conectado a Internet chateando. ¿Qué es lo que va mal?

R   *Te sientes inseguro respecto a tu relación por alguna razón y probablemente sea una buena razón. Ver como una amenaza cualquier cosa que tu pareja decida hacer en solitario (charlar en Internet, beber, danza del vientre) no es un problema en sí mismo. El problema es el hecho de que tú lo percibas como una amenaza. La tuya no es una relación feliz ya que si lo fuera tu pareja dejaría de conectarse o reduciría significativamente su afición cuando le expresaras tu descontento. Un poco de misterio sólo sirve para añadir un poco de saludable picante y en tu caso no funciona. Es el momento de sentarse a hablar.*

P   Intenté ser un poco más reservada pero él no se ha dado ni cuenta. ¿Alguna sugerencia sobre qué debo hacer ahora?

R   *Imagino que él es de los que prefiere poner la mejilla para que le den un beso y tú eres la que prefiere dar el beso en la mejilla. Es duro para los besucones porque ellos se centran en sus parejas en detrimento de todo lo demás y es muy difícil comenzar a mostrar indiferencia. Él sabe perfectamente lo que intentas hacer. Te ignorará aún más, lo siento, pero es la reacción natural en una relación pasiva/agresiva como la tuya. Hasta ahora ha funcionado para ti, pero quizás ahora deseas algo diferente. La solución para ti es la misma que para todos cuando queremos modificar nuestra relación. Deja de pensar en sus reacciones, no esperes nada diferente de él y concéntrate en ti. Reintroduce la pasión en tu propia vida. Ya has superado el momento de los juegos. Ahora tienes que ser realista. Si él es realmente el motor de tu vida, cambia y rápido.*

Mejor sexo

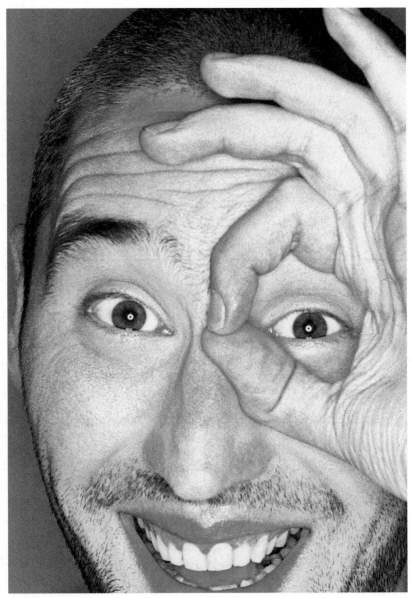

48

Mira con otros ojos

Busca algo que te abra los ojos de par en par.

Explora el voyerismo y el exhibicionismo y lleva tu vida amorosa hasta uno de los límites prohibidos.

La siguiente fantasía de juego de rol depende de lo que te guste mirar y que te miren. Utilizadla como punto de partida para explorar vuestras propias fantasías de exhibiros y de mirar; seguro que al menos a uno de vosotros os excita, si no a ambos. Si te gustaría hacer un *striptease* pero eres demasiado tímido, la segunda fantasía «Echarle un vistazo a Tom» te puede ir bien para comenzar. Puedes empezar quitándote algunas prendas sin sentirte consciente de ello como si no lo estuvieras haciendo (a propósito) para una audiencia.

IMAGINA...

Cuando tu pareja llega a casa se la encuentra completamente iluminada con velas. Lo llevas hasta el baño donde hay preparado un aromático baño que le espera. Le desnudas, le tapas los ojos y lo lavas. No le permitas que haga nada. Después lo llevas al dormitorio, también iluminado con velas, donde has colocado un espejo justo enfrente de la cama o, si eso no es posible, donde está todo el suelo cubierto con mantas y cojines. Quítale la venda de los ojos y haced el amor, mirándoos en el espejo y manteniendo la mirada de tu amante. Intenta cerrar los ojos por un segundo e imagina que no sois vosotros los que estáis en el espejo, sino otra pareja, cómplices de una orgía. Avanza un paso más e imagina que estáis observando a la pareja del espejo; para mantener la ilusión, ponte un corsé, o poneos pelucas o unos zapatos nuevos de tacón.

Una buena idea

Puede ser muy erótico hacer turnos para deciros el uno al otro lo que tenéis que hacer. A algunas personas les encanta que les ordenen desnudarse o que hagan cosas desde el principio. Otras lo odian y se enfadan cuando sus parejas les dicen lo que tienen que hacer, aunque lo hagan para animarlas. Así que sé sensible ya que para ambos todo debe suceder de manera natural.

IMAGINA...

Por la mañana da precisas instrucciones escritas a tu pareja sobre lo que quieres que haga y a qué hora quieres que empiece. Diez minutos antes de la hora concertada, ve al dormitorio, saca toda la ropa del armario y colócala en otra habitación, coloca una silla dentro del armario y siéntate con la puerta entreabierta de forma que puedas ver la cama. Tu pareja llega al dormitorio. Él o ella sigue las instrucciones que le diste. Lentamente se prepara para meterse en la cama. Entra y sale de tu campo de visión quitándose y poniéndose ropa, lencería o ropa de noche,  mirando su reflejo, masajeándose con aceites y cremas antes de ir a dormir, telefoneando a una amiga mientras se toca de manera frívola, paseando por la habitación mientras se sirve algo de beber. No tiene ni idea de que estás allí. Al final, adopta la postura que habéis acordado y, todavía «sin saber» que estás allí, se las arregla para quedar justo delante de la rendija de la puerta.

Otra idea más

Consulta la IDEA 23, *Lo que ves...*, para saber más sobre la excitación visual.

IMAGINA...

Sois las estrellas de un espectáculo porno en directo. Tenéis un área de movimiento totalmente definida (la cama o el suelo de vuestro dormitorio, bien iluminado con focos). Os vestís y preparáis en vuestro «camerino». Podéis escuchar música sexy de fondo y podéis imaginar el aplauso y la excitación que emanará de la audiencia cuando actuéis. Tomáis posiciones en el escenario y comenzáis a desnudaros el uno al otro. Recordad, todo el mundo en el club debe poder ver todos los detalles y tenéis que exagerar todos vuestros movimientos. Os extendéis aceite por el cuerpo mutuamente. Cuando empecéis a hacer el amor debéis recordar que estáis en un espectáculo. Todo tiene que verse. A vuestra audiencia le encanta y podéis sentir el tenso silencio cuando os desnudáis y la creciente excitación cuando el sexo se hace más explícito, más evidente. Ambos os excitáis más, verbalizándolo, urgiéndoos con las palabras. Cuando él eyacule, debe ser sobre el cuerpo de ella, hacer el apreciado *money shot* de las películas porno.

La frase

«Sólo hay dos directrices para conseguir buen sexo: 'no hagas nada que no te divierta' y 'reconoce las necesidades de tu amante y no las ignores si puedes cubrirlas'».

DR. ALEX COMFORT, ESCRITOR

¿Cuál es tu duda?

P   ¿Es necesario que este asunto sea tan complicado?

R   *No tiene por qué. Aparca tu coche en algún lugar remoto y jugad a ser de nuevo adolescentes. Asumir algunos riesgos en público es algo que tiende a disminuir cuando lleváis juntos cierto tiempo; quizás porque los riesgos suelen ser menos cómodos es por lo que te hacen sentirte más osado que cuando eres un adolescente. De acuerdo, ahora los dos sois respetables pilares de la comunidad pero todavía podéis hacerlo en algún lugar atrevido sin correr demasiados riesgos. Sólo el hecho de pensar que estáis siendo observados es excitante en sí mismo.*

P   Tenemos la idea de filmarnos mientras practicamos el sexo. ¿Por dónde empezamos?

R   *Si uno de los dos es más tímido, empezad con la última fantasía que he descrito. Sólo hay un paso de fingir ser estrellas del porno a enchufar la cámara de vídeo. Encended las luces (hacerlo en la oscuridad está bien, pero os dirá poco una vez en la pantalla) ya que el escenario iluminado os ayudará a centraros. Utilizad un trípode para fijar la cámara.*

49

Convivir con el agotamiento

Así es como te sientes cuando no quieres tener sexo y esto no te preocupa. De hecho, nada parece preocuparte en exceso.

¿Cómo sabes que te estás enfrentando al agotamiento?

PROBLEMA: TODO EL MUNDO QUIERE ALGO DE TI

Solución: establece prioridades y reduce los compromisos

Las personas que no establecen prioridades con frecuencia acaban llevando sus frustraciones al dormitorio: «Como no me das lo que necesito, tú no obtendrás lo que necesitas». Esto vale igual tanto para las mujeres que abandonan el sexo como para los hombres que, aunque desean tener sexo, no se sienten muy afectados por su ausencia porque están sobrecargados de trabajo. Cuando estás demasiado cansado como para tener sexo o para darle a tu pareja lo que necesita para sentirse bien, la solución es dedicar algo de tiempo a reducir todos esos compromisos. El tiempo que pasas solo te proporciona un sentimiento de equilibrio y de renovación que, a su vez, aumentará tu energía.

¿Que cómo encuentras el tiempo? Pues estableciendo prioridades. Como dice el doctor Alan Altman: «Tenemos que creer firmemente lo siguiente: tienes necesidades. Esas necesidades son tan importantes como las necesidades de otra persona. Puedes ayudar a otros pero no tienes que convertirte en la respuesta de todo el mundo para todo. A veces decir *no* se convierte en un regalo para la otra persona, que se vuelve más fuerte y aprende a confiar en ella misma».

PROBLEMA: ESTÁS ABURRIDO DE LA VIDA

Solución: redescubre la pasión y el deleite en el placer

Mi definición de una crisis de mediana edad es bastante floja. Es algo así. Tienes más de treinta y dos años y de repente te empiezas a sentir muy, muy asustado. Estás asustado de haber cometido errores. Estás asustado de no haber cometido demasiados errores. Te da miedo conducir un Mondeo el resto de tu vida. Te da miedo tu barriga, más en concreto la rapidez con la que está creciendo. Y muchas más cosas. Te da miedo la muerte.

Una buena idea

Vuelve a leer aquellos libros que te emocionaron durante la adolescencia. Lee libros que te exciten sexualmente. Escucha música que te haga sentir sexual (o libre, romántico, salvaje, independiente). Puede ser Bruce Springsteen, Van Morrison o Julio Iglesias (depende de cada uno). Sea lo que sea, si esta música te pone en marcha, escúchala bien alto y a menudo, baila en tu dormitorio.

Comprensiblemente, el temor a la muerte se va moviendo hacia el sexo, una de las actividades más estupendas de las que disponemos, en forma de insatisfacción. Y, más en concreto, hacia la persona con la que has elegido practicar el sexo. No sólo estoy hablando de los hombres. Lo que alimenta el boom del Viagra es un completo atajo de

cincuentones que están despertando y echando a andar: «¿Sabes qué? Estoy harto de orgasmos falsos. ¿Llamas a esto una vida sexual? Porque yo no». Ésta es la letanía más frecuente en los hombres de cincuenta y esperan que el Viagra sea la respuesta.

Otra idea más

La IDEA 44, *No todo está en tu cabeza*, trata sobre los obstáculos mentales y físicos que te impiden gozar de una gran vida sexual.

En cualquier caso, estoy divagando. La cuestión es que si estás aburrido del sexo con tu pareja pero todavía la quieres, debéis hablar en vez de decir una y otra vez «no». Dile honestamente a tu pareja: «Estoy preocupado. Estoy bastante harto de todo. No me apetece nada lo suficiente pero espero que con tu ayuda recupere el interés». Después podéis negociar cosas como disponer de más tiempo para ti, pasar más vacaciones juntos, comprar un enorme y precioso vibrador o disfrazaros de Papa Noel. Lo que sea que incremente la cantidad de placer que hay en vuestras vidas, porque el placer es la única solución para una crisis de mediana edad y para otras muchas formas de agotamiento. Quizás a tu pareja no le agraden algunas de tus ideas (nunca pensará que una Harley Davison es una buena idea y ciertamente no va a calentar las chaparreras). Pero si la vuestra es una relación sana y estupenda, entonces os gustará cualquier cosa que os devuelva la alegría del amor que anheláis. A menos, por supuesto, que suponga una amenaza para vosotros o para la relación, en cuyo caso no mantenéis una relación sana y necesitáis alguna clase de terapia que os quite esta idea de la cabeza. Buena suerte en la terapia.

La frase

«El sexo sin amor es una experiencia vacía, pero, como experiencia vacía es, desde luego, una de las mejores».

WOODY ALLEN

¿Cuál es tu duda?

P   Odio mi trabajo. Estoy exhausta pero no tengo manera de rebajar la carga de trabajo. ¿Qué puedo hacer?

R   *Es imposible entrar en contacto con tu dios/diosa del sexo si estás completamente estresado y exhausto. David Deida dice que trabajar demasiado puede ir en detrimento de algunas relaciones, especialmente en el caso de las mujeres, y que «esas necesidades financieras comunes han reemplazado al compromiso y al deseo como fuerzas motivadoras en muchas relaciones». Deseo mostrar mi desacuerdo con él, especialmente en el énfasis que hace con las mujeres. Pero no puedo. Mire donde mire veo a un montón de hombres y mujeres confusos y agotados. ¿Quién puede discutir sobre el hecho de que «estas necesidades financieras comunes» han secuestrado las vidas de muchas parejas, incluida la tuya? La falta de interés en el sexo es sólo uno de tus problemas. El enfado, el resentimiento y la desilusión también forman parte del problema. Pero a menos que sólo tengas lo absolutamente necesario para vivir, entonces tienes opciones. Debes mantener discusiones constructivas y creativas con tu pareja sobre lo que necesitas exactamente para ser feliz y mantenerte.*

P   ¿Qué quieres decir con introducir más placer en mi vida? Si lo supiera, lo haría.

R   *La ruta más segura hacia el placer y la pasión es ser creativo. Haz que se convierta en un hábito y expresa lo que realmente piensas y sientes. Hay millones de formas de hacerlo (organizar un concurso en un bar puede ser creativo si a ti te lo parece). Yo no puedo decirte lo que te da placer o lo que hace que te apasiones. Algunos personajes espirituales dirían que estamos en este planeta para descubrirlo. O fomentas tu potencial para la creatividad, la pasión y el placer, o no lo haces. Es tu opción.*

50

Tiempo para soñar

Las fantasías sexuales: el mejor atajo para el mejor sexo.

Sigue leyendo si tu respuesta ha sido: ¿Quién tiene tiempo?

Alguien dijo una vez que la fantasía sexual era «la televisión del hombre pensante» y, desde luego, no estaba bromeando. Horas de entretenimiento y ni siquiera tienes que levantarte del sofá para divertirte. Si te mueves un poco y llevas tus fantasías al dormitorio también te proporcionarán orgasmos explosivos. Lo que sucede en tu cabeza es tan importante como lo que ocurre en tus genitales. Sin embargo, al igual que ocurre con la práctica de decir obscenidades, debes tener tu propio «guión». Muchas personas leen la lista de las diez fantasías más comunes en hombres o en mujeres (que usualmente están encabezadas por el sexo lésbico) y piensan «¡Un cuerno!». No estoy siendo crítico. Si eres una mujer que piensa en dos pajaritos besándose en el pico y eso te lleva al séptimo cielo, pues estupendo. Pero si no es tu caso, no deberías dejar de buscar qué es lo que más te excita. Los hombres normalmente tienen más acceso al porno y este tema llena sus fantasías y conforma sus preferencias a edad temprana. Las mujeres generalmente no tienen esta ventaja y cuando llegan a la edad adulta están demasiado ocupadas desocupando el lavaplatos para emplear tiempo en ello. Pero, hazme caso. Incluso si las fantasías sexuales no tienen cabida en tu vida actual, es un buen hábito que deberías aprender.

¿POR QUÉ?

Las fantasías sexuales aumentan tu libido. Cuanto más pienses en el sexo, más desearás practicarlo. Es más, un simple destello de una fantasía que recuerdes mientras practicas sexo aumentará enormemente tu placer y si eres mujer, te ayudará a llegar antes al orgasmo (si eres hombre, te divertirás más). Además, esa rica vida imaginativa tendrá un valor incalculable cuando tu pareja te aborde y tú no estés muy segura de si te apetece. Dejar que tu fantasía vuele por tu imaginación durante un par de segundos puede ser el factor decisivo para que respondas con entusiasmo o simplemente te encojas de hombros. Mi opinión es que las relaciones resultan más felices cuando la respuesta es la primera.

Una buena idea

Una vez que descubras la tierra de la fantasía, aumenta la cuota de obscenidad. El verdadero poder de la fantasía reside en los pensamientos prohibidos, así que intenta llevarlos realmente hasta el extremo. Recuerda que tus pensamientos no tienen nada que ver con lo que es tu persona en la vida real.

¿QUÉ?

Una vez una amiga me contó con qué soñaba: «Fantaseo con hacerlo con dos hombres a la vez o con tener sexo con otro mientras mi novio nos mira. Fantaseo con que me practiquen sexo oral bajo la mesa de un restaurante o con que me echen un polvo en medio de un examen ginecológico. Normalmente no tengo tiempo mientras practico el sexo de pensar una fantasía muy elaborada, pero traer a la memoria alguna imagen de cualquiera de éstas funciona estupendamente».

Idea 50. Tiempo para soñar

La frase

«Le provoqué un ataque al corazón a mi marido. Mientras estábamos haciendo el amor me quité la bolsa de papel que me cubría la cabeza. Soltó de inmediato la Polaroid y cayó redondo. Me hubiera llevado más de media hora desatarme por completo y llamar a la ambulancia, pero afortunadamente mi Gran danés pudo marcar».

JOAN RIVERS

Tu fantasía puede ser alguna que no se encuentre en la lista de las «mejores fantasías». Por ejemplo, hay algunas evidencias que demuestran que en la era post-feminista, a muchas mujeres les gusta la idea del sexo homosexual, pero con hombres, no con mujeres. Un hombre homosexual significa un buen cuerpo y un reto, justo el tipo de cosa con la que a una mujer activa le encanta fantasear (umm, quizás provenga de aquello de Madonna). Pero son extraños los casos de mujeres que lo admiten libremente. Demonios, incluso las mujeres que se dan cuenta de lo que los hombres homosexuales pueden hacer por ellas son casos raros. Como ocurre con casi todo lo que tiene que ver con el sexo, la política de géneros seguramente tiene algo que ver. Las mujeres no están lo suficientemente liberadas sexualmente para hablar sobre una fantasía que no incluye a hombres hetero en ella. De hecho, probablemente les asuste que no haya penes erectos en la ecuación. Ésta puede ser una de las razones por las que las mujeres no fantasean tanto: sus fantasías no aparecen en ninguna de esas listas por lo que piensan que son raras y las abandonan. Si no se te ocurren ninguna de estas fantasías tradicionales femeninas, busca algún libro sobre fantasías sexuales que te abra los ojos por completo.

Otra idea más

Si buscas algo de inspiración, lee la IDEA 51, *Lugares de ensueño*.

219

¿CÓMO?

Puedes estar en tu fantasía o simplemente observarla como si estuvieras en el cine. Comienza contándote una historia. Una historia en la que seas un héroe o una heroína tan preciosa como te apetezca. Un cómico americano cuenta un gran chiste: «Cuando fantaseo, *soy* otra persona». Y aunque lo que pretenda es ser gracioso, da en el clavo: puedes ser cualquier persona que desees ser.

Tu fantasía puede estar protagonizada por personas que conoces realmente o por alguien a quien viste en un autobús hace diez años y de nuevo pueden aparecer en versiones idealizadas que resulten más excitantes, más creativas o más exigentes. Piensa en los detalles. Cuéntate estas historias mientras te masturbes. Imagina manos que sobetean, lenguas que lamen, palabras susurradas. (No necesitas la historia completa cuando estés haciendo el amor, sólo un flash de algún detalle). Requiere algo de práctica.

La frase

«Le digo a los hombres: 'Bien, finge que eres un ladrón que entra en casa, me lanza contra la cama y me obliga a chuparle el pene'. Y ellos contestan horrorizados: 'No, no, esto te degradaría'. 'Exactamente, degrádame cuando yo te lo pida'».

LISA PALAC, ESCRITORA AMERICANA

¿Cuál es tu duda?

P Fantasías, ningún problema, pero son muy obscenas. ¿Debo compartirlas?

R *Siempre se anima a las parejas a que compartan sus fantasías y esto puede ser un grave error. Los hombres lo saben. Siempre recuerdo el shock que me llevé cuando le pregunté al novio más convencional que he tenido que me contara con qué fantaseaba y de forma inmediata y despreocupada me respondió que con «lluvias doradas». Me quedé impactada y en silencio. Más tarde, intrigada, le pregunté más sobre el tema. Ni mi novio quería practicarlas conmigo ni quería que se convirtieran en realidad (yo tampoco, si he de ser honesta). Compartir algunas fantasías puede mejorar vuestras relaciones sexuales pero quizás sea buena idea quedarse para uno aquellas que impliquen alguna defecación.*

P ¿Puedes darme algo de inspiración?

R *Ambos sexos fantasean con tener relaciones con desconocidos. Las mujeres introducen el elemento de ser forzadas a desnudarse o de tener sexo con uno o varios hombres. Con frecuencia las fantasías son exóticas, como un sultán con su harén o un capitán pirata. Otra versión es el entrenador o el entrevistador para un puesto de trabajo que te obliga a tener sexo con él para ascender en tu carrera. Mostrar el cuerpo es genial para las mujeres (desnudándose o con algún baile erótico) y lo de «seducir a un virgen» funciona para ambos sexos. Las mujeres imaginan con frecuencia cómo enseñan a uno o a varios jóvenes cómo satisfacer a una mujer. Y, por supuesto, observar sexo lésbico sin que nadie lo sepa. Otro gran favorito es tener sexo con alguien prohibido, aunque suele aparecer más la mejor amiga de tu pareja que tu suegra, obviamente. O quizás no... Y con eso llego a lo fundamental, la libertad sin crítica.*

51

Lugares de ensueño

Sitios estupendos para hacer el amor sin tener que contratar a una niñera.

Hacerlo de diferentes maneras forma parte de las bases de un sexo que nos excite de manera constante. Con tanta frecuencia como podáis, convertid vuestras citas en una velada casera. Decidid el destino de vuestra fantasía, utilizad vuestra imaginación y el juego de rol tanto como podáis, siempre que os sintáis cómodos.

Una fantasía puede ser una buena forma de pasarlo bien. Es un juego barato y una forma estupenda de estimular vuestra creatividad. ¿Cuántas escenas amorosas clásicas podéis recrear dentro de vuestra propia casa? Aquí tenéis algunos ejemplos.

LOS CINCO MEJORES DESTINOS

El refugio alpino en medio de una tormenta de nieve

Es invierno. Un invierno crudo. Sois dos escaladores que han tenido que refugiarse en una remota cabaña de madera, alejada del resto del mundo y aislada por una terrible ventisca. No tenéis electricidad y disponéis de poca comida, pero afortunadamente tenéis litros y litros de brandy. Extendéis una manta delante de la chimenea, encendéis un par de velas y os servís una copa. Fuera el viento sopla con fuerza. Tu compañero escalador se va poniendo más y más atractivo. De repente, parece una idea fantástica meterse debajo de la manta (o incluso mejor, dentro de un confortable saco de dormir) y acurrucarse juntitos buscando calor...

Una buena idea

Planead vuestro viaje imaginario con cuidado. Tomaos tiempo para recrear el escenario en vuestra cabeza y escribid mentalmente vuestro propio guión. A menos que ambos seáis brillantes improvisando y un poco competitivos, lo normal será que tengáis que hacer un par de «viajecitos» antes de que dominéis la técnica del todo.

Trabajar hasta tarde en la oficina (vuestra cocina)

Uno de vosotros es el jefe. El jefe tiene un alto nivel de exigencia y espera mucho de su asistente. El asistente está trabajando hasta tarde una noche (en la mesa de la cocina como despacho improvisado), inclinado sobre su trabajo con la única iluminación de una lamparita de mesa. De repente, el jefe irrumpe en el lugar y le lanza un taco de hojas al desafortunado asistente diciéndole al tiempo: «Esto es basura. Si quieres conservar tu trabajo, tendré que castigarte hasta que lo hagas mejor». El asistente está atado a la silla mientras que el jefe comienza a desnudarlo y a quitarse la ropa él mismo mientras susurra: «Te encantaría tocarme, pero eres tan incompetente que no sabrías cómo hacerlo». El jefe procede entonces a enseñarle al asistente cómo debe hacerse, ordenándole que le ayude en castigo por sus errores pasados.

La sauna (vuestro cuarto de baño)

Hace mucho calor y hay mucho vapor (gracias a la ducha que corre a la máxima potencia). Hay tanto vapor que en un primer momento no ves que hay alguien más compartiendo la sauna contigo. De repente te percatas de que hay una figura sentada a tu lado envuelta en una toalla. Sonríes de forma incierta y después cierras los ojos y te relajas, dejando que el vapor te empape. Abres los ojos. Tu compañero te mira fijamente. Su toalla cae. Se supone que todo el mundo viste traje de baño pero tú nunca lo haces y él, obviamente, tampoco. Te da un poco de vergüenza. ¿Deberías hacerle notar que su toalla se ha caído o simplemente dejar que la tuya se deslice hasta el suelo...?

Otra idea más

¿Todavía no estás totalmente convencido? Para encontrar algo de inspiración, lee la IDEA 14, *¡Sorpresa!*

La acampada (vuestro jardín, en verano)

Te has ido de vacaciones con un amigo a caminar por la montaña. Después de un largo día, montáis un campamento (un refugio bajo las estrellas en vuestros sacos de dormir) en medio de la nada. Encendéis fuego, tomáis algo para cenar, compartís algunos chistes, bebéis algo de vino y jugáis a las cartas. Antes de que te des cuenta, el juego de cartas se ha convertido en un striptease y las cosas se ponen realmente interesantes dentro de la tienda de campaña (o, si no hay peligro de que os molesten los vecinos, bajo las estrellas...).

Asesinato en la oscuridad (vuestra casa, con las luces apagadas)

Ambos sois huéspedes en una fiesta en una casa de campo. Uno de los invitados ha sugerido que juguéis al asesinato en la oscuridad. Uno de vosotros se esconde en un lugar oscuro y silencioso de la casa. Pero cuando el asesino encuentra a la víctima, hay otra sorpresa esperándole...

La frase

«La frase más romántica que me ha dicho una mujer en la cama fue: '¿Estás seguro de que no eres policía?'».

LARRY BROWN, CÓMICO AMERICANO

¿Cuál es tu duda?

P   Yo soy juguetón, pero a mi pareja este asunto le parece completamente ridículo. ¿Alguna pista más?

R   *Escoge el escenario que exija menos actuación. El mejor de todos es el de la acampada. Si se niega en redondo a hacer el amor en una tienda de campaña en el jardín de la parte de atrás de la casa bajo la protección de la oscuridad, quizás tengas que dejarlo por imposible. Sin embargo, puedes intentarlo hablando sobre estas fantasías en la intimidad de vuestro dormitorio al tiempo que le explicas que las fantasías pueden ser tremendamente excitantes para vuestra vida amorosa.*

P   Intentamos lo de la tienda en el jardín, pero al tener que instalarlo todo era difícil dejar volar la imaginación. ¿Cómo podemos evitar que la organización del escenario nos corte el rollo?

R   *Lo admito, preparar las cosas juntos puede ser un poco rollo. Resulta más divertido hacer turnos para ser el «coordinador de la fiesta», el responsable de preparar el ambiente, la decoración de la habitación si es necesario, organizar el vestuario si procede y asegurarse de que la comida y la bebida necesaria estarán a mano. Deja una nota explicando el tema junto a la ropa que tu amante necesite extendida encima de la cama.*

52

¿Eres sexualmente maduro?

Es grande y es inteligente.

Tengo una teoría sobre por qué las parejas dejan de sentir atracción sexual. La explico a continuación...

Los hombres y las mujeres disfrutan del sexo ocasional casi de la misma forma, pero cuando se convierte en algo habitual —esa gran relación en la que las expectativas y el deseo de cada uno de los componentes de la pareja serán los mismos ahora y en el futuro— durante el tiempo que dura la relación se desarrollan diferentes actitudes hacia lo que podemos llamar cercanía. A continuación, voy a generalizar como una loca así que puede ser que vosotros dos no cuadréis en este patrón, pero la mayoría de las mujeres parecen mostrar su amor a través de la cercanía emocional: hablando, discutiendo, mostrando empatía (lo que a veces significa buscarte los calcetines cuando tú no los encuentras por ningún lado...). Sin embargo, los hombres, en su mayor parte, muestran su amor de forma física: ganando dinero, limpiando el coche, a través del contacto sexual. El sexo, sin discusión, es su forma de mostrar amor y de sentirse amados.

Los hombres no le dan suficiente valor al contacto emocional y las mujeres no valoran lo suficiente el contacto físico. Esto no supone ningún problema cuando las cosas van bien, cuando los dos miembros de la pareja se preocupan el uno por el otro. Pero si se introduce un cambio en su estilo de vida y uno de los dos deja de darle importancia a otras necesidades, los dos se verán inmersos en un círculo vicioso. Él no se esforzará por

mostrar su cercanía emocional hacia ella mientras que ella abandonará el contacto físico con él y como resultado ella no podrá entender cómo él puede esperar que practiquen el sexo cuando casi ni se hablan y él se pasa tardes enteras mirando la tele. Su vida sexual será, en el mejor de los casos, mediocre, esporádica e insatisfactoria. Y seguirá siendo así.

Éste es el patrón de comportamiento de un pareja inmadura sexualmente. Seguramente tuvieron sexo como leones durante su juventud. Probablemente estén repletos de recuerdos sexuales. Pero la experiencia sexual no tiene nada que ver con la madurez sexual.

Una buena idea

¿Recuerdas el viejo dicho que habla sobre andar con los zapatos de otro si quieres entenderlo? Cuando tu pareja ha hecho que te enfades o que te irrites, haz un esfuerzo real por entender qué le ha llevado a comportarse de ese modo. Si aún así, sigues confuso, pídele que te explique lo que se le ha pasado por la cabeza. Quedarte callado es lo peor que puedes hacer.

SIGNOS DE MADUREZ SEXUAL

No esperar a que el sexo suceda

Haz del sexo una prioridad. Vas a trabajar aunque estés cansado. Llamas a tu madre aunque estés estresado. Les haces la comida a tus hijos aunque te duela la cabeza. Las parejas maduras sexualmente le dan al sexo la misma prioridad que a las otras cosas importantes de su vida. Al menos están abiertos a la idea de practicar el sexo en cualquier momento. Y confían en que su pareja encuentre la forma de hacerlo también.

Conocer la importancia de hacerlo de forma diferente

Y no sólo porque tu relación, tu cuerpo y tu vida no permanecerán siempre de la misma forma. Estar preparado para cambiar la manera de practicar el sexo te capacita para otros cambios inevitables que sucederán en tu vida. Es algo que te proporciona un respiro cuando la vida se vuelve estresante, te alegra cuando la vida es triste y te conforta cuando la enfermedad o la muerte dejan su impronta en tu cabeza. El sexo con tu pareja amorosa es el lugar al que acudes para celebrar la alegría de la vida y es a donde vas para esconderte cuando la vida duele.

Otra idea más

Consulta la IDEA 39, *Deja que una mujer sea una mujer y que un hombre sea un hombre*, para leer algunas sugerencias sobre cómo encontrar nuevas formas de relacionaros el uno con el otro.

Usar el sexo para demostrarle a tu pareja que la amas

Estar cerca físicamente de tu pareja te ayuda a evitar juegos pasivo-agresivos. No permitas que sea siempre la otra persona la que se ocupe de iniciar el sexo porque eso significa que recae en el otro todo el poder de aceptarlo o rechazarlo. El sexo se puede convertir en un castigo o en una recompensa y si esto es lo que sucede en vuestra relación, os colocaréis en un lugar peligroso, porque los dos os acabaréis mostrando hostiles o resentidos el uno con el otro por diferentes razones.

Pensar activamente en cómo usar la sexualidad para hacer a tu pareja más feliz

Y esto no significa simplemente proporcionarle orgasmos a tu pareja. El sexo es un regalo. A veces simplemente lo das sin esperar ninguna recompensa. Muchas personas encuentran verdaderamente difícil hacer un regalo de su propia persona. Incluso cuando se llevan a sí mismos a extremos sexuales en un esfuerzo por mantener viva la chispa con su pareja, su relación no es lo suficientemente íntima como para mantener la intensidad emocional que el sexo emocionante normalmente produce.

Preocuparse el uno por el otro

Y leer ideas como éstas hará que la otra persona se dé cuenta de ello. Estar continuamente preparado para luchar y mejorar vuestra relación puede ser tan genial como vosotros queráis. Felicidades.

La frase

«El más alto grado de excitación sexual se consigue en una relación monógama».

WARREN BEATTY, UN HOMBRE QUE SABE DE LO QUE HABLA

¿Cuál es tu duda?

P   La intimidad resulta realmente difícil en casa. Siento que estamos en nuestro momento más torpe sexualmente hablando. ¿Qué deberíamos hacer?

R   *Esto es algo muy común. ¿Ha sido siempre así o ha sucedido después de un gran cambio como tener un bebé? La técnica de centrarse en las sensaciones se inventó para parejas como vosotros. Intentad romper las barreras de la intimidad poco a poco y si no podéis, un consejero matrimonial quizás pueda ayudaros.*

P   Estoy muy enfadada con mi pareja. No hace prácticamente nada por nuestra relación y encima espera que tengamos sexo. ¿Cómo puedo convivir con mi resentimiento?

R   *Intenta tener sexo con él siempre que quiera durante un mes. Y que seas tú la que inicia las relaciones sexuales al menos una vez a la semana. Supera tu enfado y tu hostilidad, pero, ojo, no estoy diciendo que tengas la culpa de estar enfadada, sólo digo que estar así no te lleva a ninguna parte. Muestra ternura. Muestra voluntad. Y si todavía no da nada a cambio, insiste en que emplee al menos media hora al día en hablar contigo. Y si no quiere hacerlo, llama a tu abogado.*

¿Dónde está?

Índice

Índice